# ELAS MARCHAVAM SOB O SOL

Copyright © 2021 Cristina Judar

**CONSELHO EDITORIAL** Gustavo Faraon e Rodrigo Rosp
**PREPARAÇÃO** Rodrigo Rosp e Samla Borges Canilha
**REVISÃO** Raquel Belisario
**CAPA E PROJETO GRÁFICO** Luísa Zardo
**FOTO DA AUTORA** Arquivo pessoal

---

**DADOS INTERNACIONAIS DE CATALOGAÇÃO NA PUBLICAÇÃO (CIP)**

J92e Judar, Cristina.
Elas marchavam sob o sol / Cristina Judar.
— Porto Alegre: Dublinense, 2021.
160 p. ; 21 cm.

ISBN: 978-65-5553-031-5

1. Literatura Brasileira. 2. Romances Brasileiros. I. Título.

CDD 869.937

Catalogação na fonte:
Ginamara de Oliveira Lima (CRB 10/1204)

---

Todos os direitos desta edição
reservados à Editora Dublinense Ltda.

**EDITORIAL**
Av. Augusto Meyer, 163 sala 605
Auxiliadora • Porto Alegre • RS
contato@dublinense.com.br

**COMERCIAL**
(51) 3024-0787
comercial@dublinense.com.br

# ELAS MARCHAVAM SOB O SOL

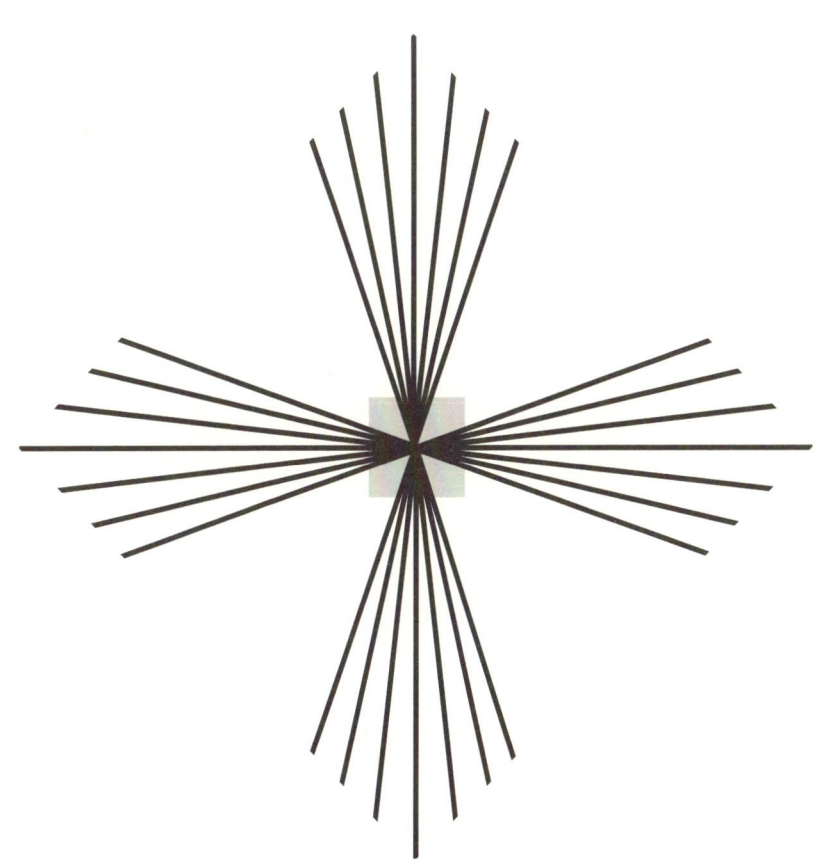

## CRISTINA JUDAR

Porto Alegre · São Paulo · 2021

*Every woman*

**A POLITICAL PRISONER**

*Every woman*

**A POLITICAL PRISONER**

*You are political prisoner*

**LOCKED IN TENSE BODY**

*You are political prisoner*

**LOCKED IN STIFF MIND**

*You are political prisoner*

**LOCKED TO YOUR PARENTS**

*You are political prisoner*

**LOCKED TO YOUR PAST**

*Free yourself*

**FREE YOURSELF**

*Diane di Prima*
**REVOLUTIONARY LETTER #49**

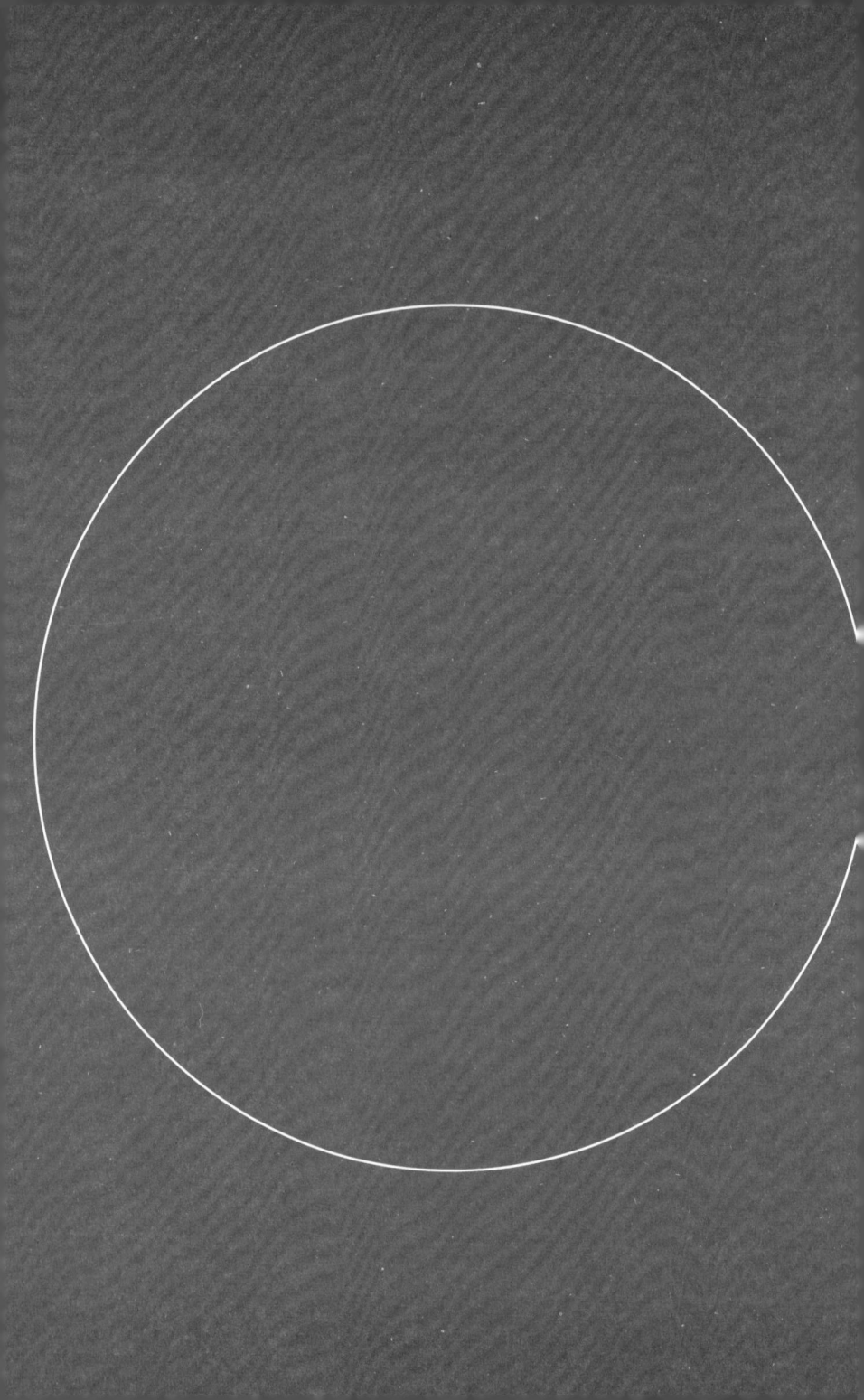

*Na busca por um lugar ao sol*

*Onde quase não há lugar ou sol*

*O sangue invade as vistas*

*E tinge campos, cidades e relações com*

*o pior vermelho possível*

*Há uma grande guerra no mundo*

*Há pequenas guerras*

*Mitos, microtons, intermeios, híbridos*

*a balancear a terra árida das*

*palavras fincadas no chão*

*feito estandartes usados para*

*delimitação de território*

*Esse é o front dos nossos dias*

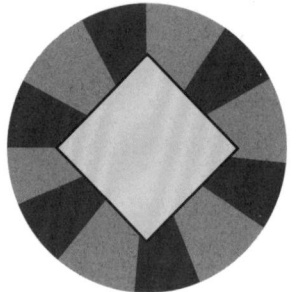

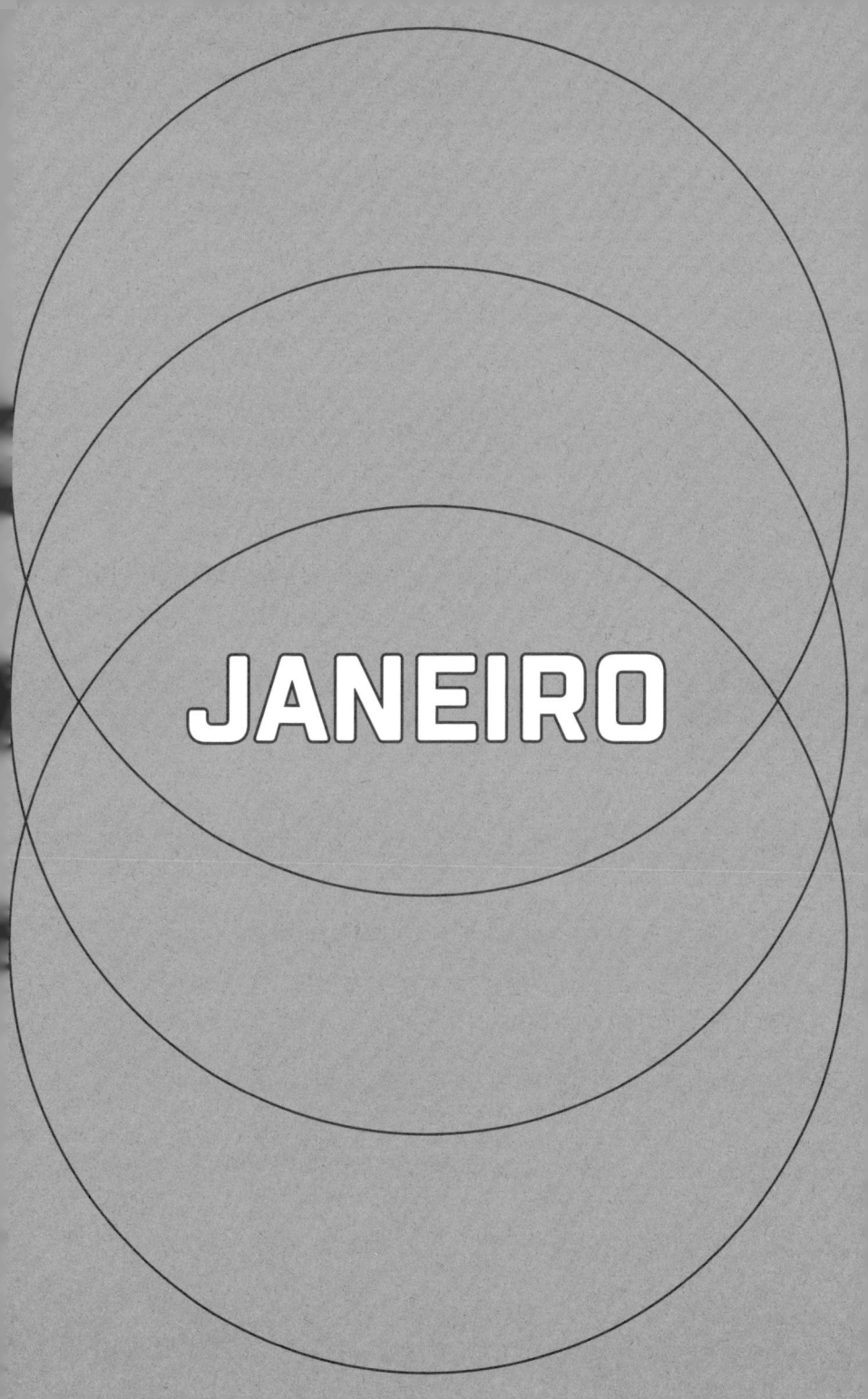

**Ana, doze meses antes de completar dezoito anos**
Passada de mão em mão durante a aula de biologia, a casca do besouro seco negava a tese de que só o homem é capaz de certas proezas na área do design. Eu não estava certa do que era feita aquela coisa, mas sua estrutura sólida e factual não poderia ser natural, não projetada pela cabeça de um especialista.

Ao contrário do que eu sentia em relação a Clark, não havia repulsa ou piedade, e essa era outra grande surpresa daquele momento.

Sobre Clark: uma miniatura de pessoa aprisionada em um vidro cheio de formol, exibido na prateleira do laboratório do colégio, ao lado de outros frascos.

Sobre anatomia e destino: Clark era o protagonista, o foco da atenção dos garotos que se sentiam culpados por sua inexistência flutuante em favor dos nossos estudos.

Sobre mim: em uma de minhas versões mais conhecidas, eu aparentava não querer saber de Clark, embora, às ocultas, já tivesse observado longamente o ex-futuro-homem rosado e de perninhas encolhidas. Quando a sala estava deserta, em uma iluminação típica do entremundos, eu imaginava destinos virtuosos para aquela massa pequena de cartilagem, uma tentativa frustrada de ser alguém, de vestir um jeans, de ter um perfil nas redes sociais, de beber um drinque, caso tivesse mesmo sobrevivido. Em uma névoa contemporânea, possibilidades infinitas estavam perdidas. E a razão dele ter sido abortado jamais seria conhecida.

Sobre o besouro morto, duro e seco: era como se a natureza tivesse criado a sua própria versão daquilo que conhecemos como plástico. Por isso ele era tão reconfortante, tanto quanto um pedaço de plástico pode ser.

A coisa toda começou naquela manhã, no jardim de casa. Depois da chuva, com a grama multiplicada em gotas d'água infinitas, avistei uma pedra inédita no canteiro de begônias, que, caso fosse filmado do alto, mais pareceria um acumulado de maçãs argentinas. Ao chegar mais perto, identifiquei o corpo-jazigo de um inseto enorme, revirado, entregue, radiante, pretíssimo. Tomei posse da joia.

Ao dar uma pausa nessa cena, com a realidade em suspensão para uma rápida análise detalhada, é fácil dizer que estávamos os três como que entrelaçados, mais ou menos assim: (1) a imagem de um besouro morto, resumido a uma casca de estrutura esteticamente irresistível; (2) a figura de Clark, que não tivera a oportunidade de aproveitar algo da vida além de ter um destino semelhante ao do inseto: "morrer para cumprir o papel de objeto de estudos para jovens de classe média"; (3) eu, a garota de dezessete anos que não sabia se queria ser como o besouro [memória e forma] ou como Clark [aberração e impossibilidade]. O dilema estava lançado.

**Clark**
Ela é doida por fivelas pretas. A ponto de ter uma coleção delas. Mesmo que de forma embaçada, de dentro do vidro e entre águas paradas, enxergo elas bem alojadas em seus cabelos, feito insetos grandes e envernizados. Arrisco dizer que ela vem até aqui mais para que eu admire as suas fivelas do que por qualquer outro motivo. São todas sempre brilhantes e com diferentes formatos. Puro fetiche, que é algo sobre o qual ela nunca ouviu falar. Embora eu seja um embrião abortado, sei de muitas coisas da vida. Os místicos talvez afirmem serem lembranças de encarnações passadas, mas eu digo se tratar apenas da minha *memória celular*. Trago histórias na minha composição física — todas devidamente preservadas no formol, o que é uma sorte. Estou mais vivo e alerta do que

muita gente caminhante por aí. Como a garota exibicionista de fivelas, por exemplo. Fico com pena. A solidão humana me comove. Minha ex-futura mamãe se chama Estela Ramos e tinha a mesma idade dela quando brotei. Aprendi muitas coisas com mamãe, que, para poder permanecer no internato, precisou se livrar de mim. Disseram ter sido um trato justo: trocar uma parcela gigantesca de vergonha, que não caberia em carne alguma, pela nobreza de doar a carne diminuta de seu corpo-filho para favorecer os estudos de jovens que fariam o futuro. Então cá estou eu, uma perolazinha em estado de ebulição. Botão rosado com a potência de uma flor atômica. Sei que sairei deste lugar no dia em que todos os encarcerados da Terra forem soltos e os libertos, feitos prisioneiros. Trago essa revelação a quem interessar. Sou a semente que germinará. Inclusive, já gritei essa verdade à garota dos insetos nos cabelos, que pareceu ter me escutado atenta, aquela desavergonhada. Ela me apelidou de Clark, escreveu esse nome no rótulo do frasco, consigo ler ao contrário, de dentro desta minha cela aquática: KRALC. Para falar a verdade, eu gostaria mesmo é de ter recebido o nome de algum faraó ou deus egípcio, caberia mais naquilo que sou, naquilo que virei a ser.

**Joan, doze meses antes de completar dezoito anos**
Com a vó, embalei e defumei corpos. Sei como estes podem ser joias para o chão que passam a ocupar. Quem os enterra sempre pensa o contrário — se o local não é digno, os despojos são humilhados. Mas afirmo: é o corpo que valoriza o chão. Como uma safira afundada no lodo, oculta à visão de todos, mas que traz, à terra que a abriga, um sentido, um centro quente, latejante e valoroso.

No sistema que corteja a morte física, na didática que a permeia, existe uma trajetória, uma iniciação marcada por começos. Aprende-se a matemática das cores, os princípios ativos da cera de abelha, dos óleos de cânfora e de cedro, do vinho de palma. Invólucros naturais para a morte que se pretende manter viva, como na época dos faraós.

Fui preparada para trabalhar com o imprevisível, com os cheiros que nos desconcertam e as texturas que causam ímpetos de fuga ou de histeria nas pessoas que com elas estabelecem algum contato. Tive treinamentos sobre o assunto desde os meus sete anos de idade. Sob meus olhos vendados e minhas narinas passaram, pelas mãos da vó, ramos de ervas e animais em putrefação, punhados de terra funda, algas mantidas em água parada, frutas e ovos apodrecidos, entranhas de peixes.

Exposta à inconveniência desses odores socialmente inaceitáveis, eu poderia, um dia, ter condições de lidar com as surpresas trazidas pela finitude dos corpos, suas ligaduras, seus líquidos e interiores, sempre tão diversos em forma e conteúdo. Somente mãos treinadas podem tocar a transformação ininterrupta do processo de decomposição. Nesse período, que amarrou os nós e determinou os traçados que me compõem até hoje, aprendi sobre o que é estar viva, algo que, em essência, pode ser definido como um acumulado de mortes ocorridas em sucessão.

São Paulo, 19 de janeiro

Eu gostaria que houvesse outra opção à existência que não fosse a tortura. Ao moldar dos ossos e da carne — e até da massa que compõe o espírito — para que se tornassem uma versão admissível de mim mesma; aceitável, integrada ao sistema. Eu vivo no Brasil, em alguma camada do tempo entre os anos 60 e os 70. Nesta faixa, meu imaginário permanece. O que eu penso não pode morar em casa ou em cela; no máximo, em um abrigo transitório, tal como são os dias, os anos e as décadas, pois o que é fluido não pode ser aprisionado. Quanto ao meu corpo, coisa fácil de capturar, fizeram quase de tudo. Reviraram, destrataram, mergulharam em tanques d'água. Respondi a inúmeras perguntas, repetidas à exaustão com apenas algumas mudanças na ordem e na composição das palavras: um jogo de cifras e de códigos desenvolvidos para me confundir. De alguém resumida a avessos, exigiam respostas exatas. Como se, para aquilo que virou recorte e fragmento, fosse possível emitir fala integral e bem elaborada. Primeiro veio um cara que falou duro. Aí chegou outro, ele jogou um jato de brilho ofuscante nos meus olhos impedidos de serem fechados. Resisti na insistência, eu não liberava informações. Passados dias, enquanto me aguavam num latão de água turva para que meu sangue menstrual não ficasse aparente, fui visitada por um inimigo de fala amigável. Ele dizia querer se aproximar e se apaixonar, me convidou para ficar ao seu lado. Foi quando ouvi gritos muito próximos, certa confusão. Carne nova havia chegado ao porão.

Pensei em auroras, em ondas salgadas, nas onças-pintadas que rompem os matos. Eu corria enquanto estava presa a uma cadeira, atrelada a uma corrente de cadeia, sem qualquer terra à vista.

Fui transferida para uma prisão por ordens maiores e de origem nebulosa até hoje. Lá permaneci por três anos. Reencontrei o futuro pai do meu filho, gerado entre a grade e a parede. Tive uma visão, águas envolviam o seu corpo mínimo. Não eram águas minhas, mas um líquido químico, artificial. Caso tivesse nascido para este nosso mundo seco, ele seria um líder, carrego essa certeza comigo.

Recomecei no ano um da segunda metade da minha existência. Sempre procuro criar inícios, mas meu pensamento carrega vícios adquiridos na camada de tempo aprisionada entre os tais anos 60 e os 70. Agora estamos no século 21 e é difícil administrar todos os números que foram alojados no meu corpo, e, com toda sinceridade, números e cálculos nunca foram o meu forte.

*Estela Ramos*

# FEVEREIRO

## VÍDEO

Entra a logomarca da Molishop.

Plano geral em uma rua movimentada. Uma loira, alta, com vestido tubinho branco e saltos altos caminha na calçada. Homens se viram para olhá-la de costas.

Imagens da Cinta Elétrica Body Sculpture sendo colocada na cintura da loira. Sorridente, ela cobre a cinta com a blusa e o aparelho fica imperceptível.

A loira, feliz, dirige o carro, coloca mais lenha na lareira da sala de visitas, conversa ao celular, vai à manicure, trabalha ao computador, acaricia o cão labrador.

Corta para imagens gráficas, projetadas sobre a cinta elétrica. Setas vermelhas passam da direita para a esquerda, e vice-versa, para comprovar a eficácia da tecnologia utilizada no produto.

A loira, sorridente, conversa ao celular. Caminha em direção à porta, pega uma caixa entregue pelo carteiro sorridente. Corta para a logomarca da Molishop, seguida pelo número de televendas em caracteres vermelhos pulsantes.

**LOCUÇÃO (OFF):**
Se você quer ter o corpo ideal, precisa suar a camisa. Mas como transformar isso em prazer e atrair os olhares de todos os que a rodeiam? Conheça já esta maravilha: Cinta Elétrica Body Sculpture da Molishop. Com movimentos ritmados, ela modela os seus quadris e afina a sua cintura, deixando você com a aparência que sempre sonhou! Com apenas alguns minutos por dia, você terá um corpo lindo e saudável, no famoso formato violão, e conquistará admiradores por todos os lados! Os indesejados pneuzinhos desaparecerão e sua silhueta ficará definida. Agora, o melhor: você ganha tudo isso sem precisar ir à academia!

A Cinta Elétrica Body Sculpture da Molishop traz a exclusiva tecnologia Fitmaster. Ela cria a compressão ideal para que as gorduras retidas sejam eliminadas e você conquiste a forma perfeita!

Ligue agora e peça já a sua Body Sculpture em uma promoção inédita de lançamento. Ao comprar uma unidade, você receberá outra, totalmente de graça, para presentear sua mãe, sua irmã ou uma amiga! O que você está esperando? Corra, restam apenas algumas unidades!

**Ana**
O canal Molishop emitia seus chamadões em altíssimo volume. O objetivo era me persuadir a comprar a cinta trêmula de definir silhuetas insinuantes com apenas alguns minutos de uso diário. A ideia nem gerava coceiras no meu pensamento, não decidido a ter curvas extremas para preencher minha combinação adorada de todas as tardes: short gasto, camiseta e meias, geralmente uma de cada cor, pisando sobre dezenas de migalhas de Cheetos. Aquele toque salpicado de amarelo-vertigem ajudava a colorir o sofá da sala. O estofado, estampado com flores brancas de cetim, tinha sido o item de adoração da minha mãe, que, um ano depois, só pensava em trocar ele por outro de chenile terracota. Mães costumam ficar obcecadas por determinados objetos e, logo que têm

eles em seu poder, entram num movimento acelerado de desapego, colaborando de todas as maneiras para a sua rápida decomposição. Assim como pessoas fazem com outras pessoas. Nessas condições, o farelo de Cheetos era conveniente e eu, de certo modo, fazia a minha parte.

Um rímel, um blush, um kit de sombras 4D e um batom pela metade compunham a herança oferecida pela minha mãe. *Você precisa ganhar um pouco de cor*, ela declarou para a minha cara de papel. Eu não via sentido em colorir o rosto ou em limitar as minhas formas para que fossem finas e sinuosas; pretendia, sim, ser um corpo em aberto, que não dá para definir onde fica o começo e onde está o término. Conversei com Oswald, observei ele pelo reflexo do espelho: meu irmão vivia sem qualquer artifício, e eu também não tinha motivos para me render a tantos enfeites e coberturas, disfarces, reduções de certas partes do meu corpo e aumento de outras. Descontínua e ilimitada, cheia de arestas e linhas vazadas, rejeitei todas essas intervenções.

Passei a usar o kit de maquiagem feito guache no papel. Criei boas artes nesse período. Precisava da fluidez das cores em movimento, eu queria favorecer o olhar de quem absorveria as figuras por mim criadas, dar origem a algum tipo de reflexão.

A caricatura era algo que eu pressentia ser o destino estético de todas as mulheres, ao menos daquelas que estavam ao meu redor. Que me deixassem com minhas fivelas, elas eram o meu capricho fundamentado. Ao dividir meus cabelos em quatro ou cinco partes separadas por mechas em posições diferentes, meu pensamento não correria o risco de estagnar ou de ficar repetitivo. Essa era a minha lógica juvenil, a lei milenar que eu acabava de criar. A humanidade que me deixasse em paz com a minha imaginação de gigante. Nasci com o espírito às avessas e faria de tudo para permanecer assim.

## Joan

Mortas podem ser as pessoas, mortas podem ser ideias e revoluções enterradas às pressas, antes que floresçam e mudem definitivamente a ordem das coisas. Mortas podem ser as mulheres, enterradas vivas pelo fato de não serem vistas, quando, de fato, elas são os planetas, as deidades, o fundo do mar, tudo o que é incontável ou impossível de se medir.

Uma lenda que trago comigo: em um passado remoto, havia uma velha, ela vivia em um deserto e soprava ossadas que encontrava pelo caminho. Havia velas acesas no interior do seu corpo antigo. Ao despejar sobre as ossadas o calor das suas entranhas, a velha as preenchia com carnes e narrativas que delineavam formas nada correspondentes às necessidades de consumo dos homens. Desertos são oceanos extintos: os esqueletos se transformavam em conchas e somente depois se tornavam corpos. Esse era o seu pequeno milagre. Ela sempre se assombrava com o acúmulo de ossos sobre o chão. Em posições variadas, eram favoráveis ao reconhecimento de que haviam pertencido a mulheres. A velha caminhava entre eles como quem não quer pisar em ovos, ela era uma jardineira de flores calcificadas. Naquele canteiro sem água, havia um registro raro e diversificado. A secura pode conter germinações e reter temporalidades, embora sejamos convencidos a acreditar no contrário. Dia a dia, a velha regava suas joias inertes com o ar e o fogo, com um passear ritmado e um canto que, de tão rouco, parecia ter nascido no início do mundo. Naquele lugar em que todos os acontecimentos são ideias não projetadas na realidade linear, pólen em suspensão, raio de sol sem parada fixa. Ela observava as ossadas como se as acariciasse. Exalava chamas e reconstituía o que estava perdido — não apenas os corpos, mas a beleza oceânica deles, aquela que está contida no movimento e os define na ausência de limitação, na geometria dinâmica das ondas, no cheiro do sal.

# MARÇO

**Ana**

O céu era um borrão líquido, pegajoso; conforto dolorido num dia atravessado por placas de rodovia rápidas e sequenciais, com seus números desfocados a ponto de eu não conseguir identificar se estávamos a ponto de chegar. Para o carro que avançava à cidade praiana, o sol descendente era o farol e convencia todos sobre a importância de seguir por aquela estrada curvilínea, que parecia ter sido retirada de um comercial de carros esporte. No banco de trás, íamos eu e Oswald; à frente, a mãe e o pai, convencido de que oferecia à sua família tudo o que a ela deve ser oferecido. O verão costuma inspirar pais e poetas.

Foram mais alguns quilômetros até que enfim estacionamos. As malas foram arriadas, nossos braços relaxados, as janelas da casa liberadas para o acaso e a água fervida para o jantar. Deitada de bruços sobre o tapete de estampa de onça, cheguei as últimas mensagens recebidas no celular. Parte do pelo sintético eriçado preencheu o meu umbigo.

Eu era bem mais do que a soma das informações disponíveis no meu perfil, de dois peitos que se encaixam em nádegas, que, por sua vez, se encaixam em lábios que se encaixam em coxas. Todos devidamente inflados, a fim de atrair alguma importância no pódio da desvalorização oferecido a jovens como eu. Porque as velhas são inexistentes em suas murchezas, a não ser quando mantêm as proporções de certas regiões do corpo rígidas e aumentadas, algo que se compara àqueles edifícios em Dubai, grandes obras arquitetônicas construídas sobre as ondas, aos cinquenta graus à sombra. Coisa que envolve altos investimentos, os esforços de uma multidão de trabalhadores braçais e um prazo indefinido, o que, para existências, bolsos e carnes finitas, é coisa quase impossível de ser alcançada.

Eu sabia que o valor a mim atribuído corresponderia ao percentual de partes moles ou duras no meu corpo. Carnes que devem ser moles não podem ser duras, e vice-versa. Qualquer inversão dessa regra resulta em inadequação; são essas as nossas fogueiras contemporâneas. O que vaza ou escorre da gente é, da mesma maneira, avaliado por rígidos padrões de intolerância. Nessa mesma época, tomei consciência dos meus líquidos, do vermelho que permanecia nos circuitos internos do meu corpo e do vermelho que se desprendia de mim.

Quando chegamos à praia, eu era uma parcela daquele mar visitado, trazia o verão nas minhas passadas, no incômodo temporário do absorvente comprado às pressas na farmácia do posto da rodovia. Só que eu não cabia em objeto algum produzido pela indústria. Minhas águas não são represáveis por algodão ou brancura. Não há o que contenha minha natureza de expansão e movimento.

Aquelas férias foram fundamentais pra que eu entendesse de vez que a minha aparência era particularmente desencaixada das vontades ao meu redor. Eu era composta por imagens dinâmicas, feito as asinhas da libélula que, em uma noite de maresia, aprisionei em um copo, na varanda. Era rápida e urgente sua necessidade de sobreviver. Eu observei ela do lado de fora do vidro, como havia feito com Clark.

Sua dor era a minha vontade, sua permanência no vácuo era a minha suspensão na realidade. Eu queria reter no ar vazio toda aquela beleza, aquela aceleração pendular em uma cela transparente, na eternidade que inspira os últimos suspiros. Queria colar na minha retina a beleza e o desespero daquele canto do cisne em sua busca acelerada pela morte.

Quanta delicadeza havia naquele grito sem voz. Os últimos segundos daquela sinfonia de asas mínimas compuseram uma afonia irresistível. Ela não resistiu muito mais e caiu, inerte. Fui para a cama com um pesar no peito, embora agradecida por ter sido a plateia única do seu último e grandioso espetáculo.

**Joan**

Uma dama vivia no tronco da árvore de folhagem rajada, ela era como o leite mesclado à seiva, embora se apresentasse a mim em estado sólido. Ostentava um chapéu verde de abas grandes e um leque de folhas de bananeira, seu cabelo era encaracolado e castanho. Ela vestia uma saia comprida preta de corte reto e uma camisa âmbar. Trazia na mão um cálice fumacento. Um papagaio vivia pousado no seu ombro direito, um monóculo se posicionava à frente do seu olho esquerdo. Eu a encontrava sempre que tomava a poção e eram mínimas as alterações nas suas roupas entre uma ocasião e outra. Ela não emitia qualquer palavra, mas eu ouvia, sei lá como eu ouvia e sabia que os caminhos eram todos dela — as visões só aconteciam com a sua permissão.

Foi da vó que ganhei a primeira dose da bebida. Fui aconselhada a tapar as narinas para não sentir o gosto, mas a mim era impossível engolir e não respirar. Ingeri inteira aquela porção de terra pastosa-quase-líquida, amarga e lodosa, que se espalhou por mim em sua natureza de substância vasculhadora de vãos e intimidades.

Envolvida pelo plasma vegetal e por um odor de chão mais folha macerada, eu acessava a consciência dos tesouros enterrados e do movimento ascendente dos vegetais quando tive as minhas comportas abertas. O tambor começou a soar, distante.

Vislumbrei cidades inteiras, pulsantes, vias de transporte com um número quase impossível de pessoas, eram muitas cabeças acumuladas lado a lado, luzes vermelhas e douradas saíam dos olhos dos animais de locomoção feitos de ferro, vapor e ruído, roncavam as suas gargantas, os humanos corriam para alcançar os veículos, em um tempo acelerado pelos chefes locais, justamente para que não conseguissem dar conta das necessidades diárias mais simples. Sobre uma torre, um relógio de enormes dimensões ostentava ponteiros desgovernados. O relógio era o rei.

Então avistei mulheres, incontáveis, com tambores e trombetas, lenços e pinturas ritualísticas nos corpos, elas emitiam gritos harmônicos, seguravam pergaminhos com escritas a mim desconhecidas, carregavam crianças, lutavam por uma, por duas e por todas, amavam umas às outras, usavam vestidos ou calças largas, ocupavam as mesmas rotas invadidas pelos animais de locomoção feitos de ferro. Elas marchavam sob o sol. Naquela procissão, por aquelas que se beijaram, como em um estrondo, como em um motim, na brevidade dos passos de quem beija e ainda assim consegue caminhar, de quem, embora de olhos fechados, tem o senso de direção mais aguçado.

Por elas, não foram ouvidos os gritos — *daqui em diante, morrerão todas* —, pois sustentavam o fogo na língua, a língua na palavra, a palavra na convicção, a convicção em cada passo, um tremor em cada gesto, em um cosmo sinfônico estabelecido sobre o asfalto, a trazer mensagens de libertação aos humanos. O ódio, fruto originário de um rio seco, foi esmagado pelos pés de todas aquelas mulheres febris.

As batidas pararam de soar.

Sentada na terra, retornei à consciência local. O sangue deslizava acelerado pelas minhas veias, foi bom sentir ele correr em trilhas paralelas às germinações do chão. Eu soube que alimentaria o planeta com o extrato do meu corpo e do meu espírito. A partir de então, eu passaria a colaborar, não só a consumir.

## Sobre a absorção do sangue, um artigo
*por Lena Rivas*

Fato número 1: foi criada, pelas mãos dos homens, certa magia branca capaz de conter todo o sangue menstrual. Comporta das vazões do corpo, essa invenção é composta de algodão e fibras sintéticas produzidas a partir da dissolução de 568 garrafas PET em tanques de cobre e alumínio mantidos a 8.568 pés. Após um longo processo de fermentação e diluição (que dura cerca de oito meses), a pasta residual é levada para recipientes cavados em pedra da lua, onde permanecem até que todo o líquido tenha escorrido por peneiras monumentais de aço inoxidável e só tenha sobrado o extrato, com o qual são produzidos os alvos portões das saídas e entradas dos corpos das pessoas que menstruam.

Fato número 2: é preciso amplificar o canto de 399 aves de plumas brancas para que a síntese de suas emissões dê origem, pela indústria & comércio, a 399 absorventes internos. Ao usá-los, você poderá até perder um membro do seu corpo, caso venha a sofrer com o raro, mas possível, *choque entre elementos de composições altamente conflitantes,* ocasionado pelo consumo de produtos desenvolvidos para a manutenção da higiene e da pureza dos corpos. Muitas são as voltas que se dá para que o sangue seja ocultado da visão dos homens. Deste modo, evita-se que eles padeçam de nojo, de cólera ou de desgosto.

Fato número 3: 578 picos nevados são derretidos, comprometendo atmosferas de alta pureza energética e os mais belos retratos aéreos usados para fins turísticos (material de primeira qualidade para o aquecimento da indústria global de viagens) com a manufatura de toda sorte de dispositivos tecnológicos e acessórios para que os ciclos menstruais sejam, em essência, eliminados. Pois tudo que muda demais gera algum incômodo. Pois respeitável é a permanência em linha reta, quando há nada de picos e descidas, ondulações e desvios. Uma indústria suplanta a outra na criação contínua de tecnologias para o alcance de um ideal de previsibilidade capaz de gerar corpos estáticos, desejáveis e isentos de fluidos.

Fato número 4: é preciso armazenar, em 957 frascos de cristal puríssimo, o canto de mais de vinte espécies de aves, oriundas de regiões remotas do globo, para a posterior produção de pílulas específicas para conter o grito, o ranger, o choro e a fúria de quem está em dias de sangue corrido. Após a primeira fase da operação (abre-frasco-acondiciona-canto-das-aves-fecha-a-tampa), o apanhado de todos os cantos passa por uma fusão com agentes químicos poderosos (a começar pelo cloro, que garante a brancura da substância produzida), quando resta apenas um montículo de pó. Na última etapa, o conteúdo resultante é dividido em cápsulas que devem ser ingeridas de manhã e à noite, ou sempre que for necessário. A indústria garante que, respeitando-se a administração da dose certa, das bocas das pessoas submetidas ao tratamento só sairão amenidades e opiniões cordatas — além de, muito raramente, um cantarolar afinado e baixinho.

Rio de Janeiro, 8 de março

O fato de eu ter sofrido certos tipos de tortura sexual enquanto fui presa política, em 1968, não significa que eu tenha perdido a libido. Só precisei renomear partes do meu corpo, relacionando elas a palavras que me traziam boas referências e imagens.
 Pernas = flamingos. Nádegas = nuvens brancas. Olhos = gemas não lapidadas. Lábios = estradas que me levam a um lugar desejável. Nuca = mirante para o pôr do sol. Meu corpo inteiro = satélite a ser descoberto.
 Quanto ao desejo, percebo agora que ele caminha por trechos do meu corpo até então desconsiderados pela ciência, indústria & comércio e religião como geradores de prazer.

Criei narrativas próprias de tesão e realização, além daquelas determinadas como as corretas ou ideais, num exercício combinado de ficção e realidade.

Não tem como negar: ser uma escritora torturada é diferente de ser uma cozinheira torturada. Ou de uma engenheira torturada, embora esses dois últimos casos me façam imaginar possibilidades igualmente interessantes de recomeço, se tais pessoas desejassem, a partir do uso pleno dos seus potenciais.

Dizem que eu sou racional demais e, por essa razão, superei, com algum nível de sanidade, tudo o que sofri. Penso que talvez essa seja a única maneira de exercer a insanidade que me restou como última arma. Difícil mesmo é encontrar quem tenha talento para desvendar esse meu glossário nada óbvio e fragmentado. É como se o meu corpo estivesse encerrado em um sarcófago, indecifrável, ininteligível.

*Julia F. Dantas*

# ABRIL

## Ana

A fita cassete me encarava com dois olhos oitentistas. Olhinhos flashback, compostos por dois carretéis, nos quais velhos como o meu pai enfiavam uma caneta pra girar e girar sempre que a fita travava. A felicidade, mesmo que por minutos, dependia de uma caneta alojada num orifício com dentinhos. Quando dava certo, e geralmente dava, voltava a tocar a canção que todos amavam; ela habitava o corpo de uma fita cassete, quase tão venerável quanto um deus pagão, a quem se ofertava cola, saliva e fita adesiva em troca da regeneração imediata. Não fosse isso, eu não teria despertado para a minha verdade mais profunda via estímulos sonoros de outras épocas, aprisionados num objeto desconhecido pela minha geração.

Eu bem sabia que o garoto queria comer o meu coração. Éramos nada frios, nem mesmo vampiros, mas atordoados pelo sistema que nos deglutia. Em resumo, tínhamos dezessete anos. Usávamos aparelhos dentários. Sentávamos em pufes. Conversávamos, escutávamos música por horas. O maior atrativo de Primp eram os seus dentes encarcerados em minúsculas celas inoxidáveis, e eu imaginava o que estaria por trás daquele aparelho metálico para, na melhor ocasião, ser revelado por palavras fugitivas.

*Dentes alinhados para uma boa estética*, dizia a mãe.

*Dentes corretos para uma ótima comunicação*, reafirmava o pai.

*Dentes invejáveis para um sorriso radiante, para mergulhos em piscinas muito azuis e para a conquista de ótimos namorados*, proclamava a indústria de creme dental.

*Uma fileira de dentes brancos e regulares para uma trajetória pessoal e profissional exemplar e segura*, confirmava a sociedade.

Provavelmente pelo meu desejo, as conversas que eu tinha com Primp começaram a ser metalicamente preservadas. Na sala onde ficávamos, eu vislumbrava estruturas complexas: finas como teias de arame maleável e ultraleve, elas flutuavam à nossa frente. Feitas de tramas intrincadas, continham diferentes padrões geométricos. Tudo o que dizíamos de algum valor era alojado no interior desses objetos semelhantes a gaiolas e lá permanecia armazenado como em uma nuvem — o que era algo mais confiável do que a nossa frágil memória biológica. Nossas ideias passaram a contar com um registro garantido e, a partir de então, eu acessaria elas quando bem quisesse. A prisão é a libertação de algo que ganha a sua plenitude apenas no cárcere. É preciso ter sensibilidade para entender a intensidade da existência na limitação extrema de espaço, para reconhecer a impossibilidade da perda de contornos que, à pessoa aprisionada, é oferecida. Esse é um assunto que pouca gente pensa a respeito, mas eu já me ocupava com essas reflexões, desenvolvia as minhas teorias. De prisão em prisão, cria-se uma ou outra liberdade, para quem está do lado de fora e para quem está dentro. São múltiplos os horizontes nascidos da restrição.

Quando criei meu perfil no Instagram, era como se eu estivesse em uma cela de superexposição, só que às avessas. Ali, eu mostrava apenas o que era do meu interesse, enquanto, ao gerar polêmicas com opiniões controversas e selfies em ângulos diversos, ocultava aquilo que em mim poderia ser encarado como verdade e fragilidade. Por vezes, me sentia uma conserva em oferta numa prateleira de supermercado, mas, ao contrário de Clark, eu exibia apenas inversões de quem eu era, como as fotos que davam destaque às minhas presilhas parecidas com insetos pré-históricos embalsamados em cola, piche e verniz. De boca fechada, eu desconcertava as audiências.

Ao cobrir a minha cabeça com enfeites capazes de atrair todos os olhares, ninguém chegava a ler os meus pensamentos, e esse era, de longe, o meu maior trunfo.

**Joan**
*(Sobre o calor e o fogo)*
Para quem retorna em uma noite fria, ver a lenha queimar no fogão de casa é um alumbramento que mantém acesas partes da nossa alma que não devem cair em desuso ou em desânimo. Tudo funciona por desencadeamento de imagens e de sensações: fogueira, pão, sol poente, abrigo, a possibilidade de enxergar através de um túnel, o distanciamento da morte, a pupila que dilata, o aroma do defumado, da decocção, do carvão.

Em ritos ou no cotidiano, a maneira como a cera da vela derrete sempre deve ser levada em consideração — se ela se espalhou toda, se gerou ondas e crispados, valas e escarpas, esculturas e estalactites mínimas; se, nela, dá para reconhecer semblantes de fera ou de pessoa; se ela virou um aguaceiro solidificado ou se evaporou. Isso sem contar a chama, que já vi se tornar dupla quando havia duas forças invocadas simultaneamente: entidade e deus, deusa e animal, tronco e seiva — as combinações são infinitas.

E já ouvi a chama estalar, tremular como fogo de venta de dragão.

Para saber lidar com tantas variações e seus respectivos resultados, é preciso parar e observar, como se faz com a correnteza de um rio antes de, nele, lançar o bote. A vela e o fogo que a consome constituem um oráculo moldado pela intenção de quem direcionou determinadas forças e elementos. É um método de comunicação, de interpretação e de entendimento, sem o uso da linguagem falada. Sopro, pensamento e sentimento são os ingredientes principais, feito a prece intuída dentro da língua, as mãos espalmadas.

Quando ganhei a minha primeira roda de saia, moldei a cera da vela apenas com o meu movimento giratório anti-horário diante da chama. Determinei para mim um destino suscetível aos ventos compostos. Eu havia conquistado um corpo reconhecível e venerável para mim mesma, sob a mesma lei que define as formas dos picos das rochas e das ondas replicadas na areia por quilômetros, sempre indiferentes à humanidade e aos seus desejos de produção.

Naquela noite, eu e a vó dançamos ao som do violino do Tio Oscar, as chamas dançavam igualmente, roçavam nas nossas saias sem que qualquer fogo visível fosse propagado no tecido. Havia fogo, mas em outra de suas expressões: no aquecimento que a movimentação dos pés gerava nos nossos centros de organização da vida.

As sombras determinavam as figuras desenhadas nas paredes, mutantes e em constante frequência giratória, conforme nos movimentávamos. Desse modo, encerrávamos os jantares que marcavam o início das estações: eles eram seguidos por aquilo que entendíamos como festa e celebração em memória dos antigos.

Reservávamos porções de comida para oferecer a alguma divindade regente daqueles dias. A dama da árvore era sempre a minha escolhida. Nós adotamos as nossas divindades, assim como por elas somos escolhidas.

## Tio Oscar

Joan é filha dos pássaros, o que pode ser definido como: a sonoridade alada das palavras. Vive com cento e uma cartas anônimas, escritas de próprio punho: elas são mantidas em um baú de pedra: depositário das vidas e mortes que ela cria na mente e destrói com o coração: órgão dizimado e reconstruído periodicamente pela força dos seus dedos: a polpa do fruto maior é rasgada em obediência à sua consciência: serva dos pensamentos caídos do céu: raios genuínos, de composição instável. Sua carne sangrada e partida vira um extrato modelável: cria-se então um aspecto novo para o seu corpo: há a esperança de que os sentimentos agora sejam outros: mas corações, a despeito da sua aparência, em essência são todos iguais: eles são os avatares da imprevisibilidade. Nessa condição insolente, Joan reconhece a complexidade de ser feita de vento, sem rotas pré-estabelecidas: por isso tudo, guarda em si um potencial gigante: algo próximo a uns mil cataclismas em botão. A música: uma sina que, para minha tristeza, ela insiste em não perseguir.

# MAIO

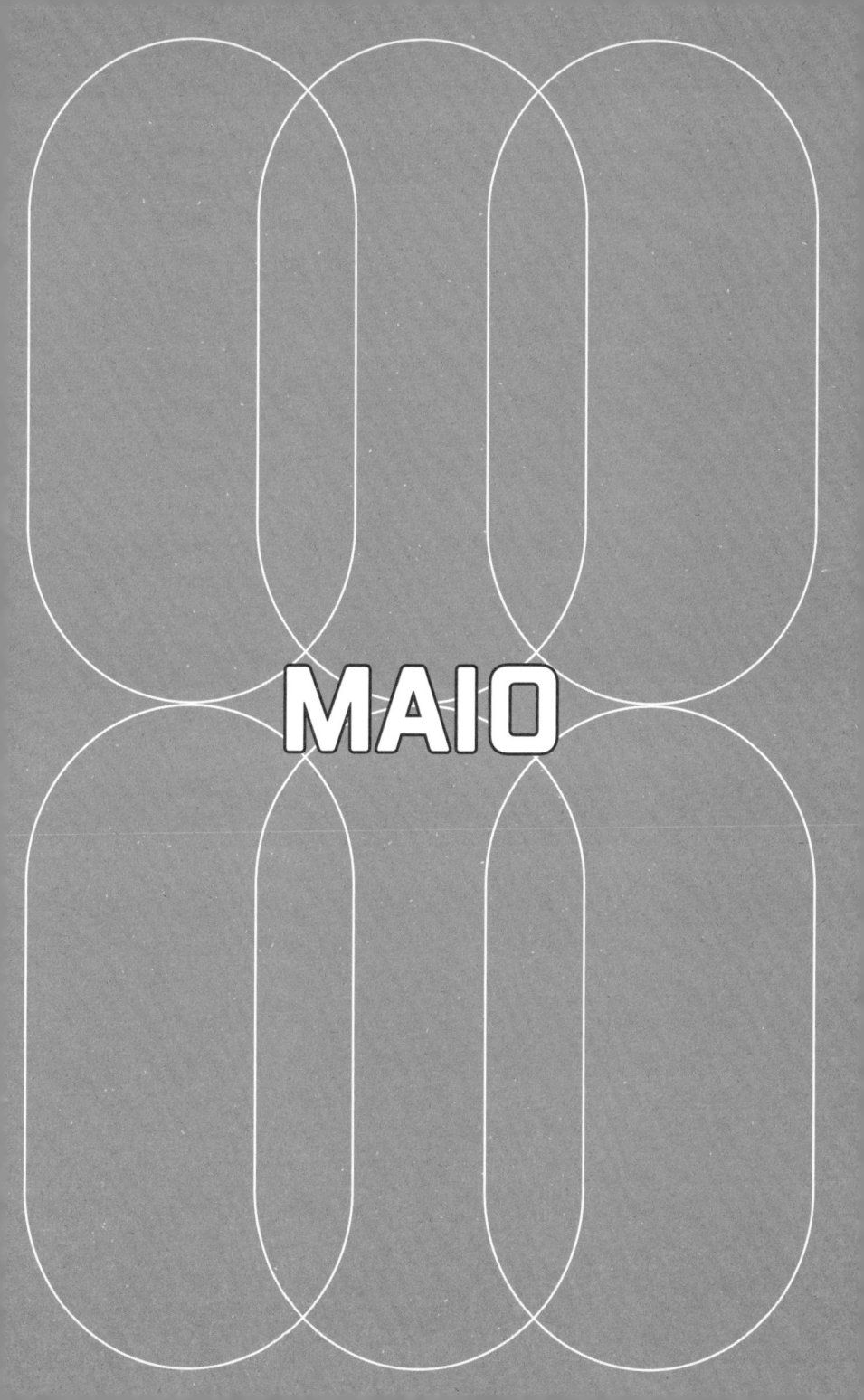

## Ana

Os relógios de cuco e de badaladas são fantasmagóricos. Reza a lenda que há espíritos dentro deles: quanto mais velhos, mais fantasmas eles contêm, naturalmente atraídos pelo som, que, para eles, funciona como uma espécie de ímã. Minha avó era antiga quando parou de funcionar. A cada dia, uma peça dela se quebrava. Espíritos também a ocupavam. Ela era oca e proferia sons de hora em hora. Repetia as palavras, suas próprias badaladas. Um dia ela foi pessoa, mas agora era um objeto frio, duro e encostado na parede. Ela nos fazia lembrar das obrigações rotineiras. E parou de vez quando seus ponteiros deixaram de girar. É muito estranho imaginar que uma pessoa-relógio um dia foi pessoa-pessoa. Era o que minha mãe dizia sobre o seu passado, embora eu não acreditasse.

Talvez para me convencer, um dia ela me chamou em seu quarto e me entregou um broche em formato de coroa. Ela havia ganhado ele, há anos, da minha avó-pessoa. Aceitei o presente, imaginando quantos anos passariam até que a minha mãe-mãe também se tornasse uma mãe-relógio e até que eu mesma me tornasse uma velha-relógio. Mas, antes disso, eu teria que seguir a ordem das coisas, respeitar as obrigações vinculadas ao amadurecimento e ter uma menina--filha que herdasse o broche da nossa tradição familiar — mas eu ainda era muito jovem e nem sabia se um dia ia gerar qualquer coisa dentro de mim, muito menos um ser que tivesse o meu corpo como cativeiro.

---

Dias antes, tínhamos ido ao hospital onde minha avó estava internada. Não entrei no quarto. Minha atenção foi atraída para um quadro na parede do corredor da ala principal. Ele apresentava o que estava por vir, tudo o que eu deveria saber: pessoas-aladas subiam em uma espiral lilás. Conforme as suas posições no trajeto ascendente, maior era a luminosidade dos seus corpos, o tamanho das suas auras, o vigor dos seus portes. No topo, o azul do céu continha pinceladas douradas; espirais menores que, deduzi, levavam as pessoas para o reino da morte. No extremo oposto da pintura, sobre o chão, havia pessoas com os pés sujos de terra, de pegadas marcadas. Elas usavam máscaras com cortes pequenos para os olhos e para a boca que pareciam ser de um material delicado, feito porcelana. O receio de quebrá-las era o que as impedia de subirem na espiral, deduzi.

De avental esvoaçante pelos corredores de arcos góticos e tijolos aparentes, um médico se aproximou, acompanhado pela minha mãe. O estado de saúde da minha avó havia estabilizado, ele anunciou, interrompendo minha contemplação do quadro. A expressão à prova de balas, lágrimas e palavras daquele plantonista me trouxe a certeza de que a arte à minha frente era uma fonte de informações muito mais confiável.

A ilusão trazida por um alívio momentâneo, aquela que alimentamos com a ideia de que sofreremos menos, foi combatida pelas pinceladas de um artista inconsciente do seu papel. Talvez ele tenha produzido aquele quadro nas tardes de um verão feliz e atrás de uma grande janela iluminada, ansioso para ser descoberto como um novo talento da pintura. Um universo de possibilidades promissoras, provavelmente a razão de toda uma existência, tinha sido depositado naquele objeto, invisível para todas as outras pessoas que se encontravam na unidade de terapia intensiva daquele hospital.

## Joan

Foi num baile de luzes e sombras que a vó viu o tempo da dor se aproximar. Em todo início de estação, executávamos o mesmo ritual: ela tomava um banho de alecrim na água que refletia a lua vigente, ingeria um punhado de castanhas cruas e inalava a fumaça de um punhado de ervas. Depois de deixar a casa às escuras, tapar as frestas e cobrir todos os espelhos, sentava em sua cadeira entalhada e dizia baixinho uma prece que eu era incapaz de entender.

Fechava os olhos e pedia para que, a uma distância segura, eu desfilasse uma vela acesa em frente a eles. Ela ordenava que eu aproximasse, girasse e distanciasse a chama, que, nessa dança, adquiria diferentes contornos. Segundo a vó, suas pálpebras eram cortinas; por trás delas, era possível distinguir verdades sobre todas as coisas, então livres de suas aparências superficiais.

    Aquele fogo pequeno criava imagens que ela afirmava enxergar dentro da sua cabeça, entre o fundo dos olhos e o início do cérebro. A chama trazia informações sobre acontecimentos próximos ou distantes, deslocava dias, meses e anos, enquanto passava em diferentes velocidades e direções. Concentrada em executar os movimentos que a vó pedia, eu não assistia, mas podia pressentir o balé que nos envolvia no interior do cômodo em que nos encontrávamos, povoando as paredes com figuras mutáveis. Naquelas ocasiões, éramos unas com a chama e as sombras, com a casa e as revelações alimentadas pela prática de uma arte divinatória muito antiga.

    Terminado o ritual, sentávamos à mesa para uma refeição leve. Eu tentava adivinhar quais teriam sido as revelações da noite de acordo com o humor da vó, a maneira como ela segurava os talheres, o tom da sua voz e, principalmente, como ela me olhava depois daquele exercício de cegueira momentânea para as coisas externas.

    Ela não costumava compartilhar muito do que havia sentido, escutado e visto. Em uma linguagem subterrânea, típica da nossa linhagem sanguínea, porém, acessávamos as mesmas informações, já que minha função ia muito além da mera execução dos movimentos com a vela: eu orquestrava as sombras e luzes que transmitiam as mensagens oraculares e, ao ter o meu corpo como veículo para aquilo que estava além do tempo, mas que nele precisava se encaixar para poder ser compreendido, tive meu sacerdócio desenvolvido.

Mais tarde, enquanto ainda aparentava estar envolta pelas imagens que a haviam visitado, a vó disse, com uma voz de todos os dias, que uma mulher muito próxima, talvez mais de uma delas, partiria em breve.

Foram alguns meses até que, de fato, algo acontecesse, ou melhor, começasse a acontecer.

———

Eu cresci junto às mulheres da minha família. Antes de restarmos só eu e a vó, nos uníamos nas tardes de domingo para conversar sobre os acontecimentos da semana, ditar novas receitas, contar piadas e histórias, confessar, esbravejar, desaguar. Assim, eu soube detalhes sobre seus relacionamentos, como elas eram esquivas aos maridos. Eram divertidas, porém marcadas a ferro quente em várias das peles que as recobriam.

Foi difícil viver o meu período de inocência, do meu nome autoproclamado, no meio de tantas tragédias pessoais. Elas impregnaram a minha carne em forma de dor compartilhada, cobrando alguma consciência, mesmo que tardia.

Eu vi a devastação ser propagada em uma delas, quando sua carne se transformou em esqueleto e pó. Por anos, me senti um expurgo das integrantes do nosso clã; trago elas no meu corpo, com seus tecidos rompidos, seus risos descontrolados, seus disfarces. Quando fracasso, minha dor é ainda maior, pois falho por mim e por todas. Se há alguma conquista, não fiz mais do que o necessário.

Sempre carrego algo além daquilo que cabe nas minhas extensões.

## Vó

Eu via pedaços, eu via esferas, escutava trechos de conversas, sussurros. De maneira aglutinada, tudo o que me chegava — sons, impressões, recortes de imagens, sentimentos — parecia estar acontecendo simultaneamente e em um local por mim habitado, embora desconhecido.

O cenário era confuso, como se eu mergulhasse numa célula da existência primordial, destituída dos meus cinco sentidos — ao menos da maneira como eles se apresentam em qualquer outra situação. Eu acessava frações da grande verdade sem os recursos que, por hábito, usava para decifrá-la. Tive dificuldade para me entregar a esse método divinatório nos meus primeiros anos, na mesma idade de Joan, mas, com a prática, consegui entender como tudo se dava e comecei a me encontrar. Eu domava o medo antes que ele me dominasse. Ele passou a me acompanhar com passividade, como um cão que respeita a dona, sempre que eu pisava naquele espaço contido entre o fundo dos olhos e o início do cérebro. Eu visitava essa área intermediária para que das revelações pudesse ser a receptora. Em algumas ocasiões, eu me via vestida. Em outras, um véu estava caído sobre os meus ombros, e nada mais. Não tenho controle sobre o aspecto que recebo neste lugar, assim como não domino as imagens que aparecem conforme a chama é conduzida por Joan.

Katarina, sua mãe biológica, entregou Joan a mim logo que ela completou seis anos de idade. Disse não estar preparada para uma criança como ela, que escolheu se chamar Joan após entender o que o seu nome de batismo significaria para o mundo: as armaduras que seriam colocadas nas suas costas, as armas e os instrumentos oferecidos, todos inadequados para uma existência que crescia em outra direção. Acolhi a menina das árvores e das luas, dos giros e dos presságios, ciente de que haveria continuidade para aquilo que, com a minha partida, poderia morrer. Joan me seguirá nesse caminho, mas precisa dominar a exterioridade para, um dia, experimentar o que é chegar na escuridão. Ela se diverte com o teatro de luzes e sombras, se sente a mestra de uma espécie de jogo excitante; mas, quando passar para o lado de dentro, pisará o solo da ausência e da morte, único terreno suficientemente neutro para que as visões ocorram com o mínimo de interferência, o que pode ser aterrador.

Uma vez, revelei uma informação que lhe trouxe um período de atribulação e a tirou do ninho. Ela precisava ter noção de que a infância tinha ficado pra trás. Nossa tribo-família era composta por mulheres em nada heroínas ou santas. Elas davam a carne e o sangue pela própria sobrevivência, viviam o abuso em suas relações, e Joan precisava estar pronta para entendê-las, para aprender a linguagem e os códigos que elas usavam e, principalmente, para saber que essas mulheres, um dia, teriam um fim.

Em uma das minhas visitas à zona do oco das memórias futuras, vi a mãe de Joan acompanhada por uma mulher muito mais velha. Seu rosto, apesar do meu esforço em tentar identificá-la, não passava de um borrão. As duas vestiam trapos, riam e choravam ao dizer que a crença maior as aprisionara, que o sangue delas originado era um rio, que as cheias da lua seriam vermelhas e destruiriam a colheita. Katarina contou que partes do seu organismo se multiplicariam até ficarem irreconhecíveis. Vi versões do seu corpo com os membros fora do lugar: os braços saíam do pescoço, veias vazavam, havia dentes entre os cabelos e ossos para fora da pele.

Na imagem seguinte, a mulher mais velha estava aprisionada em algo que parecia ser um caixote de madeira. Enxerguei esboços das suas mãos e da cabeça para fora da caixa, muitas palavras eram repetidas por ela e por uma voz masculina, igualmente sem rosto.

Na última visão, fogo e cinzas envolveram as duas mulheres e, depois de murmúrios e gritos, elas calaram. Uma cortina se abriu; eu sabia que precisava voltar. Horas depois, me esforcei para contar a Joan, da maneira mais natural possível, que o tempo da dor logo geraria seus incompreendidos frutos. Foram alguns meses até recebermos a notícia de que Katarina havia morrido de uma doença que fez o seu ventre inchar e desaguar. No fluxo do sangue que escapou do seu corpo, vazou sua vida que, há alguns anos, já estava afogada. Sobre a identidade e o destino da outra mulher, eu nada mais soube naquele momento.

# JUNHO

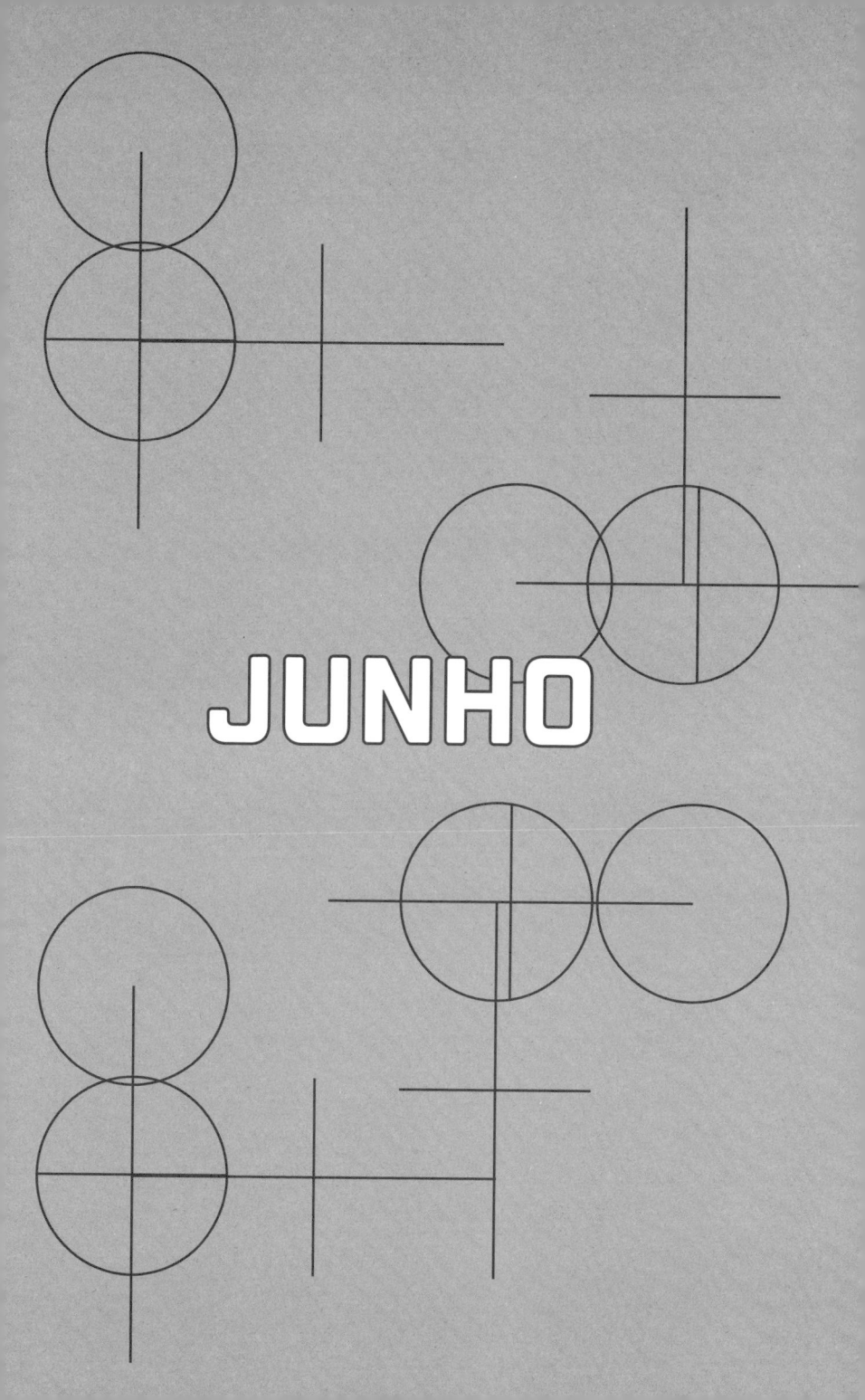

**Ana**

É sabido que os homens são os donos do planeta. A eles são permitidas as invasões territoriais, o voo, o salto e a conquista. Já às mulheres, o que no corpo, na mente ou na ação se expande é malvisto, é interditado ou então transformado em foco do desejo desses mesmos homens, ávidos por ocupar os nossos domínios. O avesso da expansão é a perda contínua de território, a ponto de se chegar à invisibilidade — o que é algo tão nocivo quanto estar aprisionada, especialmente quando se tem um chão e dois pés para pisar nele.

Eu pensava nisso enquanto fumava um cigarro que mais parecia um foguete. Eu e Rafael, afilhado de Rosana Carvalho, ostentávamos o bastão fino entre os dedos, numa elegância de manequins de vitrine. Exibidas nas trevas, nossas mãos estavam levemente iluminadas pela pontinha rude e rubra. Nossas bocas queimavam como o cão.

Na ardência, derramei algumas lágrimas, mas fui me acostumando. Que coisa mais louca é fumar: me senti um dragão a botar chama para dentro. Com o fogo voltado para as minhas entranhas, eu aplacava todo o meu mal íntimo. Imaginei que ficaria seca internamente, já que ao meu corpo não é permitido: (1) desaguar, (2) se reconstruir, (3) se estender. Rafael, por sua vez, apenas deixaria de crescer em algumas partes específicas ou no todo. Permaneceríamos perfeitos bibelôs constantes, anatomicamente imóveis, o que significava, em outras palavras, que seríamos jovens para sempre.

À tarde, caminhamos ao som de algumas bandas de rock independente enquanto eu reacendia o cigarro, meu passaporte para uma existência desejável. Uma constatação: a gente odeia crescer, mas não vê a hora de entrar na realidade dos adultos. A gente vive na contradição de querer congelar corpos que estão em chamas. Podemos até não aceitar a mutabilidade dos corpos, mas eles mudam, apesar de tudo. Foi o que aprendi ao pisar na lagarta verde-neon que cruzou o meu caminho. Ela continha toda a tecnologia do laser, dos raios intergalácticos, embora não passasse de uma gosma com potencial considerável para ser desprezada pela humanidade e, apesar disso, se locomover por aí. No que diz respeito à vontade de ser livre, eu e ela éramos iguais. Ela se liquefez na sola do meu tênis, à imagem e semelhança de uma tinta para decoração de festas e com pigmentação de ótima qualidade. Passou a ser mutação radiante, morta-viva, brilhante, rasteira. Colocada no penúltimo patamar do desprezo humano.

Por vezes, na escala da limitação de corpos e expressões corporais, ficamos abaixo da lagarta e dos poucos direitos a ela concedidos. Há gente na beira do abismo, empurrada por um exército de crenças que, se não são seguidas à risca, terão a morte como resultado das suas recusas. Acaba-se em suspensão feito fantasmas sem contornos ou lençol branco com dois buracos no lugar dos olhos. A mutabilidade dos corpos deve ser tão odiada pelo fato de revelar a nossa proximidade com as lagartas — ou como podemos nos liquefazer do dia para a noite, enojáveis às sensibilidades em geral, e desaparecer.

**Joan**
Há uma deusa não descoberta, sem nome, lenda ou mito de origem. Tampouco ela é do fogo, do ar, da água, da terra. Está situada entre os elementos; carrega um tanto de cada um, nada de apenas um deles. Seus domínios são a luz que atravessa nuvens, o vento que percorre vales, as noites de lua azul, o zunido das abelhas, o soar das asas do besouro, o pulsar que encobre os fetos.

Ela entende um idioma não falado, parte gesto, parte intenção, parte suposição. É multicolorida e invisível, dependendo de como quer ser desconhecida. Seus preceitos e leis se alternam diante das necessidades — as suas ou as de quem, inconscientemente, a ela apelam. Seu altar é o dia e a noite, a aurora e a tarde.

Ela emite vapores dentro dos corpos dos seus devotos, dá vazão a marés nascidas de traumas antigos ou a canções interpretadas por voz e oboé. Ela arrasta terrenos áridos para fora de corpos que os acumulam como baús do tesouro, libera espaço para a plantação de hortaliças, para a multiplicação de ovos e para a aterrissagem de insetos.

Ela aquece a chama que dá origem às ondas, já que é preciso uma boa parcela de fogo para gerar as forças de movimentação dos oceanos. Ela nos ensina que os ares aspirados por uma mesma comunidade, os humores que se alternam entre os polos e o silêncio de morte gerado após o término de uma relação duradoura, são territórios conquistados e podem ser instrumentos de poder. Ela carrega, em uma faixa sobre a cintura, tambores com o formato de olhos, de diferentes tamanhos.

Pessoas não binárias, intermediários, mensageiros e desgarrados são por ela protegidos, anonimamente. Isso acontecerá por mais uma metade de século, até que o seu culto se torne popular. Apesar disso, o nome dela, aquele que é genuíno, pessoal e intransferível, ninguém nunca saberá.

Brasília, 20 de junho

De choque em choque, me tornei uma explosão ambulante. Uma explosão em forma de pessoa. É engraçado se definir desse modo, mas é exatamente como me vejo. De estímulos elétricos pelo corpo inteiro, a repuxar tecidos, músculos, nervos e sentidos, chega-se à iluminação, posso dizer — lógico que só se você tiver abertura para isso. Até porque nem todos terão, isso é certeza. O que eu digo é polêmico, pois não acredito em vilão ou em vítima. O que rolam nessa vida são encontros, aproximações. Todos aprendem com todos. Sou grata ao meu torturador, assim como sou grata ao Swami. Diante do universo, todos estão imersos no mesmo fluxo. E, se eu passei por isso, é porque estava escrito. Eu tinha que passar. Foi um resgate. Os choques me libertaram de um carma secular, saca? Eu sei, é difícil de assimilar, entendo, de verdade. Mas cada um tem o seu momento. A hora certa vai chegar para todos, então não é preciso ter pressa. Se jogue. Deixe rolar. Eu me entregava aos choques. Abandonei a revolta inicial e essa foi a melhor coisa que eu fiz, pois, de outra forma, não teria chegado ao Swami, entende? Eu via fluxos de energia, luzes me cruzavam, me tornei uma faísca cósmica. Nosso lado humano, carnal, é muito pequeno diante disso. Eu me dei o direito de me libertar. Então, nem há o que perdoar, só o que agradecer. Pela semente e pela terra. Sou semente e terra. Cresço em todas as direções. Sinto as luzes, as correntes elétricas me atravessarem de ponta a ponta, de poro a poro, até hoje. Não preciso mais de estímulo externo, agora essa força mora em mim, a acesso sempre que eu quero. Isso não é maravilhoso?

Com amor,

*Rosana Carvalho*

# JULHO

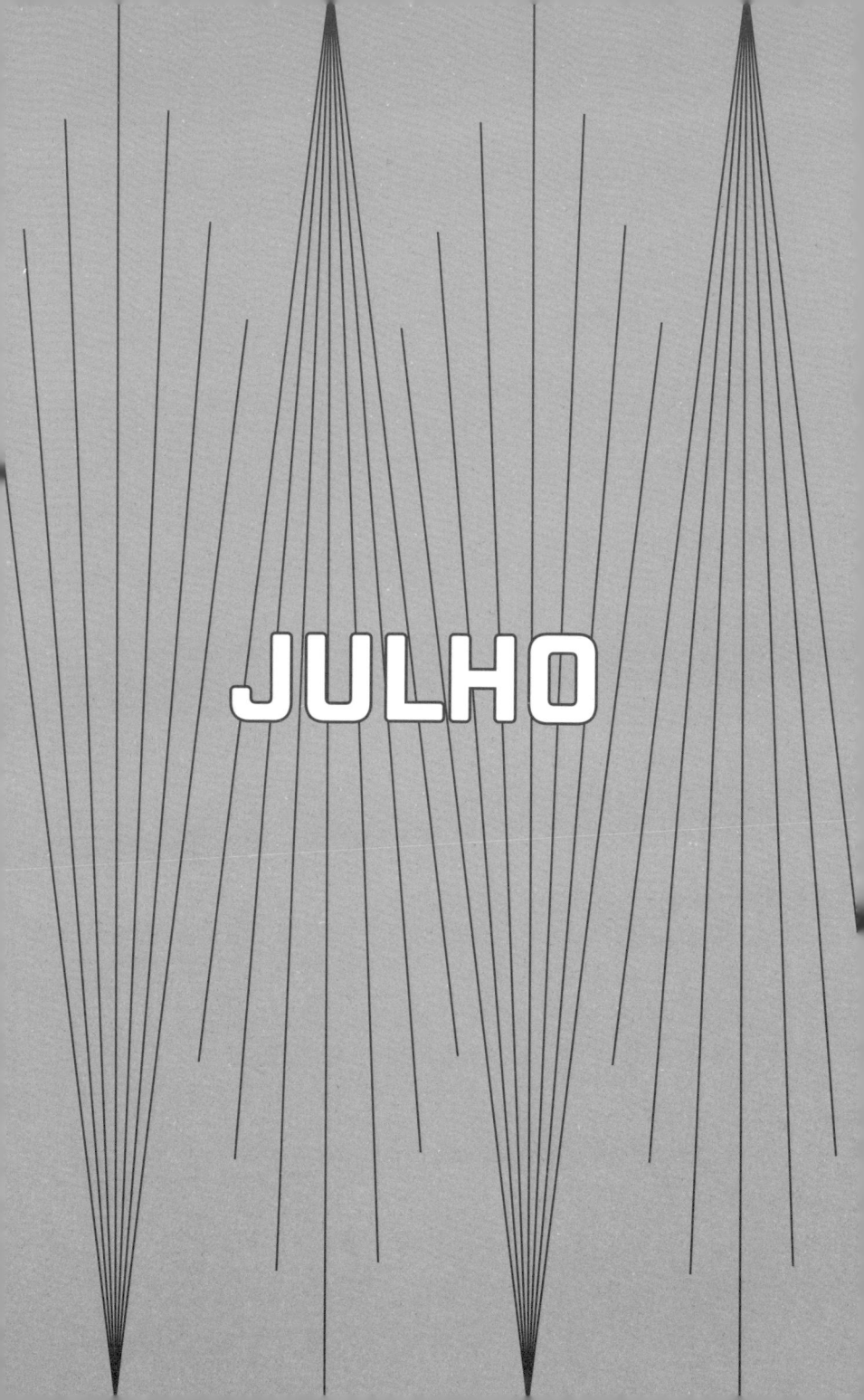

**Ana**
Uma mutilância de corpos. Inventei essa palavra, que é uma mistura de mutação, militância e mutilação, para definir o que descobri. Fazer sexo é tocar em resíduos, espaços, tecidos e líquidos como se fossem joias. Adorar partes do corpo como se fossem preciosas. Partes desprezíveis para a sociedade, mas que, miraculosamente, se tornam veneráveis em instantes específicos para depois, terminada a dança da febre no rompimento dos limites físicos, voltarem a ser desprezíveis.

Em uma pesquisa rápida, encontrei imagens que deslocaram as minhas órbitas e trouxeram à tona espaços do meu corpo em uma condição que torna as coisas ocultas provisoriamente evidentes. Afinal, mulheres dão vazão a tufões e voz ao planeta em mutação que gira suspenso sobre cada uma de nós — o que nos torna mutantes e giratórias sobre um único eixo.

Não quero ser selva desbravada ou mata intocada a servir de chão para botinas e tratores. Nem ser vista apenas como força da natureza, a atiçar fetiches sobre o rompimento da pureza nas dependências do corpo. Já disse um dia o guru: os santos só servem para fazer a humanidade média se sentir desprezível. As matas e as mulheres surtem esse mesmo efeito nos homens, ao que me parece. Por isso o interesse tão grande em nos subjugar a todo custo.

*Boa noite!* — ralhou dona Suvyatic, sem qualquer melodia, ao abrir a porta do quarto de Mimi. De avental laranja com flores de tricô turquesa, a dona de seios capazes de armazenar as águas de um oceano inteiro era uma capataz dos bons costumes em relação a nós duas: existências pueris, que tinham na internet a escadaria para o inferninho pelo qual ansiávamos, e não apenas mera fonte de informação.

Trinta minutos antes, tínhamos assistido uns vídeos de oito minutos, nesta sequência: machos-foguete a invadirem mulheres-caldeira; uma encenação entre pintor e dono da casa que abre a porta da garagem com ar espantado e de microssunga; garotas e suas saias de colégio, com pregas desbocadas por salivadas e movimentos repetitivos. Eu retive aquelas imagens como referência do que eu poderia inventar dali em diante, caso sentisse menos repulsa pelo exercício da diluição em outro alguém.

Tudo soa como em um renascimento, você perde suas fortunas, lástimas e barreiras para, no final, voltar a mesma, embora um tanto quanto diferente, pois, ao que tudo indica, gastou e ganhou na mesma medida.

Quando a porta do quarto foi aberta, voltei às anotações e Mimi recitou para a mãe uma boa frase de término de uma redação fictícia sobre a Guerra dos Farrapos. Dona Suvyatic resolveu cuidar dos seus bolos eslovacos ainda crus, na incerteza de que haveria futuro para nós. Mimi riu loucamente e em total silêncio sobre a cama, imitando de maneira caloura os movimentos das meninas viris do RoseTube.

Às vinte e três horas e quarenta e cinco minutos, eu sabia que, sem o auxílio de um dicionário, mais de 97% das pessoas não conseguiriam diferenciar os nomes de estrelas dos de doenças venéreas, todas tão próximas quanto distantes do meu corpo e da minha memória, que, àquela altura, já confundia as sonoridades e significados coletados: Denebola, Mérope, Porrima, Clamídia, Propus, Toliman, Donovanose, Errai, Gorgonea Tertia, Gacrux, Grumium, Condiloma Acuminado, Regulus.

Uma estrela pipocar na pelve noturna do céu: bênção das bênçãos. Uma circunferência brotar na pele rasa dos genitais: maldição. Eu me esforçava para entender as leis que regiam ocorrências tão distintas.

---

Encoberta por uma onda de náusea e de certa dor, eu tentava subir pelas minhas paredes de dentro, insistentemente. Meu cérebro brilhava, a raiz do meu corpo obedecia, como se um motor de pulsão e instinto ditasse vermelhos e quentes sucessivos e crescentes. Tríades se acumulavam em todo o meu território. Minha garganta se ampliava, meus lábios se abriam na vontade de cantar alguma melodia ancestral, de memória. Eu procurava Mimi, na ânsia de não perder a direção. Eu precisava que ela espelhasse a minha fogueira: um corpo a determinar as frequências executadas em duplicidade. Entrei em tanques de água morna, voltei a emergir e a afundar incontáveis vezes. Eu poderia morrer ali. Invadi pelos e peles: o oculto foi desvendado pelas salamandras que passaram a me domesticar. Eu estava inteira, feto envolvido em placenta doce, terra em transe. Corri ao encontro dela, escorregadia, rumo ao uníssono. Mimi professava nossa liberdade em gestos certeiros. Chegamos ao topo. Um tremor fez o chão amolecer. Puxei o ar com força, meus pulmões chegaram a doer.

Tive insônia, enquanto Mimi ressonava, angelical.

**Dona Suvyatic**
Ondas batiam fortes nas minhas janelas. Eu estava em uma casa submersa pelo oceano, embora morasse em uma cidade rodeada por matas esparsas e repleta de residências idênticas, todas com fachadas de tijolos marrons. Aquele montante gigantesco de água só existia do lado de fora, sempre que o céu resolvia cair. Ele despencava, nós cozinhávamos. As ondas surgiam, nós mexíamos a sopa.

Feito os habitantes de uma bolha de ar em imersão profunda, acreditávamos estar provisoriamente protegidas por uma película maleável, transparente, intransponível.

Nessa situação peculiar de reclusão, cultivávamos calores e afetos. Falávamos a língua do fogo, oferecíamos a ele gravetos como se fizéssemos oferendas a algum ente querido, na fé de que nosso alimento não fosse queimado, perdesse o ponto ou permanecesse cru. Pratiquei a magia da criação desde criança, carreguei meninas em mim desde que nasci. Nesta vida, algumas coisas são sina; outras delas, fantasia que queremos concretude. Antes, não havia dinheiro para bonecas, então eu inventava as meninas. Depois, não havia corpo para gerar meninas — foi quando encontrei Mimi.

Distante da infertilidade que declararam ser maldição biológica sem fim, eu vesti a maternidade por alguém que não pôde carregar sua própria menina. À minha frente, a mulher chorou um rio de desconsolo e gratidão. Ela partiu em um bote sem o pacote que antes carregava.

Com uma nova vida, eu não abria as janelas por medo da água entrar. Éramos duas agora. Mimi estava igualmente circundada por aquela força capaz de ninar ou de nos afogar. Enquanto a água permanecia do lado de fora, éramos embaladas, o que eu julgava ser, para nós, o suficiente. Lá dentro, continuamos, com rostos e roupas amareladas de tanto refletir o fogo, nossos olhos mudavam de tonalidade de acordo com a potência da chama doméstica. As ondas batiam, nós não atendíamos o seu chamado.

Mimi cresceu, os anos escorreram e o nosso núcleo já não dava conta de tudo o que precisávamos. Os atos da minha filha haviam ganhado força e amplitude: a partir de um gesto, as chaleiras voavam; a partir de um sopro, os pães não cresciam; a partir de uma queixa, a costura era desfeita.

Era preciso mudar de solo para que houvesse espaço e continuidade: eu queria trabalhar e Mimi deveria ir à escola. Foi essa a época da grande inundação. A água, após insistir por todos aqueles anos, destruiu as barreiras, as janelas, as paredes e as portas e queimou, mais do que o próprio fogo queimaria. De sua passagem, restou apenas o pó daquilo que havíamos vivido. Secas de lágrimas, eu e Mimi partimos para outra terra em um veículo que desliza pelo ar.

São alguns anos desde a nossa chegada. Hoje temos chão, cômodos a serem preenchidos e a promessa da permanência. Não há mais água do lado de fora. Ela estuda, eu trabalho. Nossos olhos continuam a espelhar fogareiros e faíscas. No céu, onde a minha vista não alcança, há estrelas e insetos, aviões, helicópteros e fiações elétricas transversais.

**Joan**
23h34
O planeta deitou, vermelho. E veio o sabor da morte: uma mistura de medo, dor e surpresa espalhada ao longo da língua. Queria tê-lo em meus braços, mas eu sabia que permanecer ao seu lado, aparentemente rígida e impassível, era o maior ato de generosidade em relação àquele homem de outra geração, que prezaria pelo seu orgulho até no instante da sua partida. Ser tocado por uma mulher emocionada não o ajudaria em nada; ao contrário, o levaria para ainda mais perto da decadência — e eu pude intuir isso. Meu coração continuava palpitante, torci para que Tio Oscar não percebesse a pele do meu peito levantar e abaixar de acordo com cada batimento.

*Ao tentar dormir, se o pensamento atormenta, se as lembranças vêm à tona como dejetos flutuantes, aconselha-se mudar a posição do corpo a fim de alterar a frequência mental. Uma prática não muito eficaz, eu diria.*

―――

23h45
Esmaguei um inseto contra a parede, ali não era o seu lugar. Lamentei sua morte e minha mão pesada, implacável, ausente de reflexão. De quem seria a mão que decide o fim dos humanos? O tempo não anda sozinho. Deve haver alguém, alguma outra força igualmente devastadora.

―――

*É comum que o contrário da existência consciente queira ocupar lugar na nossa cama. Ele adota a forma de um corpo gelado e intruso entre os nossos lençóis, traz recortes mais ou menos banais sobre o cotidiano, acompanhados por um pesar emocional gigantesco, podem reparar.*

―――

23h57
Ao visitar certos lugares a fim de resgatar o que vivi ou aquilo que fui, tudo parece ser novo num terreno já pisado: me relaciono com as coisas e as pessoas como se fosse em uma segunda primeira vez. É o tempo que nos escapa ou o chão? Somos todos refugiados de alguma parte nossa que não volta mais, mas que, vez ou outra, insiste em determinar os nossos caminhos e aspirações.

―――

*O tal corpo gelado entre os nossos lençóis pode até ser uma presença aceitável, desde que mostremos, logo no início, quem está no comando. Nesse caso, é ele quem deve nos servir, e não o contrário.*

―――

0h12
Eu queria ter uma estufa de plantas toda de vidro, como um coração explícito. Não porque eu queira apelar para sentimentos e, sobretudo, para fragilidades, mas porque, se há coisas que simbolizam os extremos do conforto e da desordem, são a estufa de plantas e o coração. Fora que o vermelho e o verde sempre casam muito bem. Pensem no morango-fruta e na jade-pedra juntos.

―――

*Nos casos em que há alguma aceitação e entendimento mútuo, o corpo gelado entre lençóis pode até colaborar, feito um amigo de muitos anos: ele nos faz conscientes da poética dos dias corridos. Você permanecerá insone, mas com a criatividade afiada. Provavelmente essa convivência desenvolverá em você algum talento artístico, caso ainda não tenha se dedicado a isso.*

———

0h26
— Que cidade você busca?
— Busco uma cidade que não mais existe, uma frequência que simplesmente não vibra, mas que aciona meus nervos e sensores via imagens mentais. De fato, eu me alimento dos fantasmas das cidades, o que é algo deprimente.

———

*Há palavras próprias e desenhos mentais de proteção para as ocasiões em que não se sabe se o corpo gelado trará a você pensamentos que dariam carne e canção para mais de oitocentos sonhos paradisíacos. Jamais se entregue totalmente a ele e permaneça alerta.*

———

0h37
Há quem afirme ter descoberto, na infância, que profissão ou cargo teriam para o resto de suas vidas. Algo que pode ser definido como "um corpo jovem vestido em uma fantasia de previsibilidade máxima", o que, em outros termos, significa a negação da essência dinâmica da existência — e isso pode resultar em catatonia ou morte.

―――

*A Memória é um subterrâneo que nos acompanha desde o nascimento. O corpo gelado nada mais é do que um escravo da Memória. É Ela quem o subjuga como mensageiro das cenas aprisionadas no sótão do passado, do presente e do futuro. Essas lembranças, quando recebidas sem o devido preparo, podem nos levar à loucura ou à intolerância extrema em relação a nós mesmos e aos outros.*

―――

0h42
Fazer um bolo é como dar corpo a um daimon no centro de um círculo ritual. É preciso seguir etapas. Limpeza, proteção, invocação e evocação, palavras mágicas, escolha e separação dos ingredientes, energias a serem convidadas, a preparação do espaço e dos utensílios. A fumaça, os sussurros, as formas e os instrumentos que estarão presentes. O crescimento, o cozimento, o apogeu,

a materialização total, o banquete e a sacralização final do alimento.

———

*Cumprido o ciclo, transmitidas as mensagens da Memória, o corpo gelado se vai. Sobra espaço na cama. É quando chega o sono, com imagens simbólicas e reconfortantes à medida que as lembranças trazidas pelo mensageiro foram honradas pela pessoa que as recebeu. Nesse caso, ela se levantará mais sábia do que quando se deitou.*

———

0h59
A chuva caiu, vermelha. Me deixou lívida por dentro, enquanto um córrego sanguinolento me rodeava. Subi a montanha das profundezas, minhas pálpebras pesavam conforme o oxigênio diminuía. Sumiram aos poucos os meus pensamentos. Alcancei o sono a dois passos do topo, à beira do precipício. Finalmente encarei, sem interlocutores, o reino dos sonhos.

# AGOSTO

**Ana**

A exemplo de quem esconde armas, chocolates ou cigarros, meu pai deixava um tanto de livros e de volumes pesados no topo do armário. Sua alegria era saber que alguém havia resistido ao desânimo de vasculhar épocas distantes a fim de descobrir tesouros quase inacessíveis que, caso fossem desvelados, fariam diferença determinante em nossas vidinhas planas. A escada estava sempre por ali. Um banco. Ou qualquer outro artifício de incentivo à escalada.

Alcancei o maior dos volumes, um álbum de capa dura que continha imagens únicas, nascidas da fusão entre fotografia e pintura. Suas páginas malcheirosas acumulavam casulos de traças, além de retratos de seres retocáveis plasticamente, mas irretocáveis em essência, como só parentes mortos são.

Entre eles, destacava-se um padre da igreja católica ortodoxa, de barba branca, chapéu preto e uma corrente de elos grossos, com um crucifixo. Um bocado realista, outro tanto fantástico, seu olhar era tão rígido e insistente quanto a madeira de lei e o simbolismo da cruz. Feito um guia de viagem, o sacerdote começou a contar a sua história. Eu ouvia ele claramente, como se estivesse com fones de ouvido.

**Padre**
Ter me tornado um sacerdote ortodoxo foi o meu maior paradoxo. Uma alma como a minha não deveria estar encerrada num jazigo ordinário, composto por um corpo de crenças incapaz de fugir às regras normativas. Mas, para quem se encontrava entre o inverno, a roseira e o céu, a igreja foi a vestimenta que melhor me serviu.

Entre o martírio de não existir, a obrigatoriedade matrimonial e a devoção a Deus, o terceiro e último caminho foi o que me pareceu menos distante daquilo que eu era. Me entreguei à doação e à benevolência na suntuosidade que guardam os rezadores. Meu olhar buscava o inusitado; estendi a mão para os inimigos da ordem e do senso comum. Os marginalizados, os originais e pervertidos encontravam em mim apoio e certeza, e foi isso o que me uniu à fé cristã em sua origem.

Injustiçadas desde quando o credo não era verbo, as mulheres foram minhas confidentes, a elas eu me abria em noites de velas acesas ao término de um turno e início de outro, durante a vigília. Revelações ocorridas entre orações expressam a nossa alma: é quando a verdade encontra, nas palavras, sua maior expressão.

Não vivi no momento ideal para alcançar a totalidade das minhas aspirações. Era como se meu espírito não tivesse encontrado um período histórico apropriado para brotar, uma época que teria sido a ideal quanto a possibilidades de exteriorização e experiência.

Além de apelar para uma morte planejada e prematura, minha opção era me adaptar ao que me era oferecido por lei maior. A mim não cabia fazer julgamentos. Para aliviar o aprisionamento que me foi imposto antes mesmo de eu nascer, fiz o que pude para que outros não fossem submetidos a algum tipo de cárcere ou que então dele se livrassem, mesmo que por algumas horas.

Abri as portas das minhas dependências, levei os meus pensamentos de liberdade e de rebelião a mestres nos quais confiava e a alguns superiores. Havia inocência demais em mim. Fui perseguido e capturado, até que me tornei duplamente prisioneiro.

Mesmo quando estive em um campo de trabalhos forçados, não deixei de apoiar as pessoas no seu direito de manifestação. Acreditei na igualdade que resulta de atos furiosos e altamente conscientes.

Meses depois, meu corpo foi executado pelas facadas de um jovem que havia frequentado o meu quarto.

Apesar de atuar em caminhos ocultos, minha relativa liberdade gerou um tipo de frequência reativa que deserta, cega e destrói.

Naquela noite, eu cobria a minha nudez com um vestido vermelho de seda chinesa, herdado da minha mãe.

**Ana**

Ciente da história daquela figura quase mitológica, percebi o quanto um pedaço de papel em péssimas condições de conservação tinha potencial para me abalar. Não é à toa que os índios não se deixavam aprisionar por fotografias. Ao subir no topo da minha árvore genealógica, me dei conta de que eu não levava uma vida à prova de revoluções. Precisei de uma escada enferrujada para saber que com picos de montes e com mortos não se deve mexer, a não ser quando se faz magia ou quando há extrema falta do que fazer. Eu me encaixava bem mais na segunda opção — o que era algo, ao menos em parte, respeitável, por nascer de um desejo de arqueologizar minha família, de desvendar os feitos daqueles que haviam sido sopro do meu rosto e nascente do meu rio.

Próxima daquela que seria a minha salvação geracional, reconheci uma boa narrativa de vida e de morte e, ao enxergar o passado, encarei a possibilidade de dar origem a uma existência respeitável. O clima de quase verão estava instável. Veio do ar um som de grito de adeus, somado a um *cabrum* originário de umas mil latas em atrito. Eu estava no alto da escada, como quem está entre o inverno, a roseira e o céu. Um estouro, seguido por um apagão generalizado, me apresentou à continuidade. Também rolaram uns lampejos pirotécnicos de raio em raio, todos com grande capacidade para iluminar as minhas rotas.

Caí do alto e torci o pé devido ao peso que passei a carregar. Eu caminharia um pouco mais forte de composições, mas de maneira mais lenta. Apesar dos passos irregulares, aceitei o destino; o caminho agora era sem volta. Ao saber das dores que o mundo carrega e de todos os mundos contidos em uma única dor, não existe outra possibilidade além de seguir. Antes, eu apenas transitava em círculos.

**Joan**
Da última vez que me encontrei com a dama da árvore, ela me contou a seguinte fábula: numa época e lugar distantes, havia uma comunidade de pessoas-gato que, na insatisfação da diferença existente entre os humanos e os animais, pularam as fronteiras da biologia e da racionalidade e passaram a se comportar como felinos.

Por aproximadamente cinco horas diárias, dedicavam-se àquilo que intitulavam como gatismo: levantavam os rabos em direção à lua para tomar leite de felina em travessas de louça, emitiam miados em múltiplas tonalidades, praticavam o ronronar de maneira pouco convincente após frequentarem reuniões disputadíssimas sobre "a arte de se descobrir felino-humano-citadino" ou "como viver melhor sendo uma alma deslocada do corpo". Todos os seus esforços eram louváveis, garantindo, pelo grau de dificuldade de determinadas práticas, maior respeitabilidade diante dos seus iguais.

Vestidos com roupas de tecidos artificiais, lambiam a si mesmos e aos gatos companheiros, a engolir fiapos custosos de serem eliminados pelo organismo humano. Para facilitar o expurgo dos resíduos aderidos aos corredores sinuosos do sistema digestivo, ingeriam doses laxativas das mais amargas. A seguir, vertiam águas turvas entre contrações abdominais aparentemente sem fim — como todas as contrações abdominais parecem ser.

Eram tristes e felizes esses seres, que precisavam esquecer sua condição original, desejosos de ser outra coisa que não eles mesmos, na busca por um invólucro mais apropriado para os seus espíritos.

Os humanos vivem a procurar corpos alheios para ocupar. Por isso a sonhada propriedade particular, roupas caras, animais potentes — o acúmulo irrestrito de bens sobre a pele fina. É preciso sentir-se como gema de ovo, sob mais de uma camada de matéria, a fim de evitar qualquer fricção com o tecido que recobre o universo. É um homem que se esconde de um homem que se esconde de outro homem, em etapas sucessivas e simbólicas — algo que remete a matrioskas destituídas dos seus propósitos originais.

Aos donos de uma curiosidade sem fim, uma terra sem fim para explorar: os membros da comunidade construíram para si mesmos um trajeto de poleiros, patamares e buracos que davam em lugares inesperados. Na cabeça desses felinos de duas pernas, não havia para os corpos um significado fixo. Nem para a razão, para as palavras e para o uso dos objetos. Tudo era mutável a cada deslocamento dos ponteiros do relógio.

No entanto, obedecendo à ordem universal de nascimento-crescimento-propagação-morte, a motivação para a permanência no gatismo começou a esmorecer após uma década de prática. Essa era a causa da alta rotatividade que havia no interior dessa tribo artificial que ostentava ares de orgânica. Chegaram a ter mais de cem mil membros. Anos depois, tornaram-se mil. Quando os contaram pela última vez, não passavam de cinquenta praticantes. Seus trajes de pelúcia começaram a ser ofertados por preços módicos em feiras de produtos usados. Não há registros de colecionadores ou fetichistas interessados na compra desses itens.

**Deusa não descoberta**

Embora fossem igualmente fundamentados no amor pelas lendas e afeitos à adaptação extremista dos seus corpos, as pessoas-gato representavam o oposto do que são os vampiros urbanos do século 21. Cada vampiro possui três bilhões de livros arquivados no corpo. Todas as línguas da humanidade, entre as mortas, as vivas e as feridas, estão alojadas em sua língua física, disposta em proximidade aos caninos superiores, sejam eles naturais ou protéticos. A verdade é que eles sempre lutam para permanecer vampiros. Honram sua própria natureza, possuem uma autoestima invejável. Nunca vi um vampiro que fosse humilde.

Para os vampiros, a questão toda diz respeito às histórias que eles passam a carregar. Esqueçam sangue, glamour, taças, veludo, castelo, golas, anéis. Um único vampiro é a reedição integral da Biblioteca de Alexandria.

O sangue é apenas a tinta pela qual eles absorvem a literatura em sua completude. Um vampiro é a soma das trevas ao invejável. Um vampiro é uma boneca inflável de aço. Um vampiro é não retornável. Um vampiro jamais pega fogo.

Ao ver um vampiro estremecer de prazer após uma golada de sangue, não se engane: esse efeito é causado pelas incontáveis narrativas que passam a morar em sua carne. Um vampiro é pura nostalgia, aliada à mais alta tecnologia. Um vampiro é o não corpo cheio de certeza, coletividade, elegância e exatidão.

# SETEMBRO

**Ana**
Todo vermelho era ele, do cabelo à timidez. Absorvia o que de rubro havia no ambiente, como um catalisador de determinada frequência óptica. Algumas pessoas caminham por aí a roubar o que a outros pertence — e eu, consciente da sua totalidade e dos seus talentos, não conseguia parar de observá-lo.

À altura dos vinte anos, ele acompanhava uma mãe-possível-madrinha — neta de Olga Veiga — no despertar da sua quadragésima sétima adolescência, a procurar na saia, no vento produzido pela saia enquanto ela girava em frente ao espelho, uma condição física já inexistente.

A gente vive para carregar os pedaços mortos do corpo, fazendo de conta que eles estão vivos. Botox, lifting, peeling e rejuvenescimento a laser estão aí para comprovar o que eu digo. Com eles, esquecemos a pele escassa, o músculo fracassado, a celulite em desuso.

Isso sem contar a tecnologia da "permanência física indissolúvel no tempo" adquirida com exclusividade na clínica Sete Esferas, frequentada somente pelas muito ricas. Lá, ingere-se sete qualidades de alimentos por dia para que sejam perdidos sete quilos por semana e rejuvenescidos, ao longo de todo o processo, sete anos, sete meses e, obviamente, sete dias.

Sol nascente no centro da loja de disfarces femininos, o rapaz encimado pela cabeleira vermelha parecia ter nascido com a exclusiva função de tornar evidente a distância entre a mulher que rodava e a juventude.

Parte sintética, parte natural, eu até dançaria com ele, ainda fresca e morna, embora estivesse a caminho da morte estratégica que nos afeta quando alcançamos os vinte e oito anos. Às habitantes de uma zona intermediária, apenas meio-respeito pode ser oferecido pela sociedade, diz a lei.

Aquelas que se situam na região pós-juventude são vistas como conteúdo de ataúde em diferentes estágios de decomposição; que comecem os julgamentos, as averiguações dos peritos!

Antes que meu fim estivesse próximo, eu o beijaria apressada com meus lábios falsificados, em uma tentativa de me aproximar da sua força inata de homem-menino que perdura até os cinquenta e quatro anos. Tem quem ache graça desse atraso favorecido pela providência divina, demora-se mais para amadurecer. Dizem que os homens congelam no tempo, isso é coisa da mãe natureza.

Talvez o menino rubro até me amasse — seu coração em um vermelho ultraconcentrado, num aglomerado de pigmentos —, provavelmente até quisesse casar comigo, me consumir, me ignorar, me considerar carne sem o carimbo azul de comprovação de qualidade e procedência. Vendo pelo lado positivo, ao menos eu não estaria sozinha.

Eu amaria ele sem que ninguém mais desconfiasse, pelo menos até o término daquela tarde de provas e entre um corte e outro dos tecidos que cruzavam nossos olhares na sala de provadores, espelhos e pufes, decorativos como as manequins sem cabeça daquela loja: silhuetas ideais e imóveis, destituídas de miolos e de voz. Naquela tarde, escolhi o traje da minha festa de dezoito anos.

O vestido era azul-bebê numa fase de bebês indesejados — a coerência é uma virtude inexistente para quem comete a imprudência de, ao mesmo tempo, ser jovem e mulher. Eu também me abria em babados sobrepostos; eles provavam existir algo mais no interior do interior do meu interior: toda mulher é uma matrioska, infinita em derivações de si mesma, seja ela árabe, brasileira, russa ou imaginária.

Há bordas específicas para as etapas da nossa existência. As externas, de tecido fino, sempre memoráveis, graciosas, dignificantes. As internas, de desejo, de espera e de pesadelo, repulsivas, degradantes, sujas — embora todas elas, as de fora e as de dentro, sejam vistas como determinantes para a definição dos nossos contornos. Essa é a maldição a ser perpetuada por nós, bonecas de enfeitar os dias.

A verdade reside em uma semente lá no meu fundo. Uma semente de sensações assombrosas — eu diria em meu pensamento — apropriada para abalar cosmos inteiros se usada com sabedoria.

Foi no que pensei enquanto eu e minha mãe cruzávamos a rua, sob os olhares das costureiras especializadas nos vestidos que devemos ostentar nos seguintes ritos de passagem: batizado, quinze anos, dezoito anos, noivado, casamento, bodas I, II, III e IV e enterro.

## Joan

Amar é ter um pulmão de penas, outro de pedra. Uma barriga de lontra, uma perna de lhama, uma anca de cesto de ouro onde cabe uma criança inteira ou bezerro. É pular corda no chicote dos imprevistos, dançar como quem fecha a noite e abre o dia com o movimento dos pés em ritmo, é pingar a ponto de gerar rio, foz e correnteza, é subverter a ordem das coisas via aplausos que soam muito antes da atração subir ao palco. É terra vermelha, suada de tanto fazer as sementes brotarem, é sol poente a empurrar os contornos da Terra para todos os lados. Amar é abrir espaço para ocupações democráticas e fogareiros pelo corpo, é decifrar a língua das serpentes no instante em que elas fazem *ssssssss*, é abrir espaço no peito para um ou mais corações.

Sobre o comportamento adotado pelo corpo durante o preenchimento múltiplo de almas, é preciso notar se não há pendência excessiva para um lado ou para outro, gestos demasiado teatrais ou executados à beira da perfeição, o que denota orgulho, planejamento da performance e a necessidade maior de ser observado; algo contrário à nebulosidade do movimento imerso no transe ritualístico, durante o qual um espírito, em uma atitude por nós concedida, faz uso dos nossos membros para executar sua dança particular.

É quando nos vemos em um mar que deve ser desbravado às cegas na confiança de haver alguém do céu ou do chão a cuidar da nossa direção e sobrevivência até que cheguemos sãos à beira d'água, firmes para pisar na areia mais uma vez.

Recomenda-se atenção máxima para todos esses detalhes. Para viver o amor, assim como para praticar a entrega e a credulidade, são exigidas boas doses de ceticismo.

## Vó

Bateram na nossa porta algumas vezes. Na penúltima delas, se apresentou um investigador vestido de preto, portando o que ele dizia ser um documento de inspeção de lares para garantir a segurança da região, pois circulava o boato de que fugitivos poderiam estar escondidos em casas vizinhas.

Ele entrou, revistou potes e panelas, quis saber com quem eu morava, onde estava a verdadeira mãe de Joan, com quais recursos nos sustentávamos. Contei da comida e dos remédios feitos sob encomenda, que tudo era produzido com o que crescia na horta, além daquilo que conseguíamos na troca comunitária de alimentos. Ele me escutava enquanto abria as tampas dos recipientes, aspirava avidamente o âmago das nossas poções e temperos.

Antes de partir, ele virou as costas e fez uma última pergunta.
*Não há bíblia nesta casa*, respondi.

Recife, 7 de setembro

Ser guerrilheira é ter um rugir nos dentes, nas solas dos pés, nas regiões suarentas. É preciso ter boa mão para alçar facão, sustentar rifle, administrar revólver, entender a latitude e a longitude de uma espingarda — e não apenas isso.

Sempre me disseram que eu seria apta a realizar mais de uma tarefa ao mesmo tempo sem perder a concentração. E foi isso o que aconteceu enquanto habitei o palato mole daquela mata escura, no interior da boca da floresta, entre silvos e cigarras orquestradas por poder desconhecido.

De mim, foi exigida a habilidade de administrar o dedo no gatilho, com pressão de menos para não atirar em vão; enganar as ondas do estômago ao mascar a seiva do *mato arrancado da terra ao meu lado; calcular o traçado da lesma que resolveu tomar minha perna direita como casa; deduzir quantos passos seriam possíveis sem que eu deixasse qualquer rastro; supor o que um companheiro de batalha, a duas zonas de distância da minha, deveria estar pensando enquanto a lua se multiplicava em meio às folhagens.*

*Ser guerrilheira pode ser algo distante de apenas buscar o abate das forças inimigas. É o ver e o permanecer exercidos numa intensidade que nunca mais conseguirei alcançar, escreva o que estou falando.*

*Um grande abraço,*

*Olga Veiga*

# OUTUBRO

**Ana**
Recém-saída do chuveiro, rodeada por vapores, reconheci uma voz vinda do espelho. Sua mensagem era clara, uma sonata vinda do fundo do mar. Ela de fato estava contida entre as camadas de prata e de vidro necessárias para a composição de um reflexo mais do que perfeito, como se o criador tivesse dado origem a um universo 100% duplicado — as tais invenções dos homens que buscam brincar de Deus.
A voz dizia
... *as barragens de rios rompidas por catástrofes criminosas. Só de pensar: os animais soterrados, os gritos sujos nas bocas, o cárcere dos corpos inábeis, a barca embotada, as bolhas grossas no fremir das dores, a treva solta, o desaparecimento da fé, a lama, a terra, a rocha agora resumidos a lápides não intencionais.*

... *as cento e onze disparadas que levaram cinco adolescentes. Só de pensar: os cinco corações em filetes, os refrãos interrompidos da canção, o estalar dos dedos ágeis nos demorados cinco minutos antes de começarem os tiros, a inexistência da morte na qual creem os jovens e a fuga desgarrada de um carro branco esburacado.*

*... aquilo que fez da travesti Dandara um dejeto. Só de pensar: lata amassada, nervo mastigado e cuspido, carniça que se evita, chaga doída sobre a qual se lança a chama. A feminilidade mascada, triturada, arrombada, poluída e torturada pelos homens, pois tida como menor, impura, tentadora — negada até as últimas consequências.*

*... as treze balas de fogo que levaram Marielle. Só de pensar: lataria de furos, corpo de mãe vazante, sobressalto na história, um rio que não terá mais cheia, esposa e filha em chamas duras, potência secular resumida a uma vida curta, farol para muitas. Uma época a descobrir, a reconstruir; a entrega.*

*... a revista policial costumeiramente realizada no corpo butch de Luana Barbosa. Só de pensar: o espancamento, os cinco dias de espera no hospital, o trampo, o trauma, o crânio, a bola, o bilhar, a mina, a batida, o filho, o trajeto, o "não senhor", o "nem fodendo", o fim.*

*... centenas de milhares de vítimas de uma pandemia desgovernada num país que deixou de ser.*

## Joan

Passei a me alimentar de memórias sobre alguns lugares, como o subsolo de um conservatório musical mantido num casarão datado de 1800. O lugar, onde estudei violoncelo, carregava a possibilidade de uma carreira musical — em grande parte incentivada pelo Tio Oscar —, a qual abandonei depois de alguns meses. As lembranças do plano profundo daquela casa revelavam muito sobre a minha capacidade de absorver o que os ambientes carregam. Aquele espaço de estudo e de reclusão me oferecia o conforto de uma época quando ter um futuro incerto significava algo bom.

Afinal, são necessárias medidas iguais de inteligência e de versatilidade para lidar com os desvios e imprevistos típicos do navegar de qualquer artista em um mar que definitivamente não tolera barcos estáticos — e isso sempre me atraiu.

Dessa vez era diferente. Eu precisava reconstruir a casa que um dia me serviu; ela ainda não era memória, mas também não pertencia ao momento presente.

A vó tinha sido levada pelas autoridades, iria responder um inquérito sobre práticas de arte e de sonho, de provisão e de resistência, recentemente declaradas como não aceitas pelo governo. Eu, que havia restado, estava exposta e precisava cobrir a minha flora, minha nudez indesejada pelos outros.

Sem a presença da vó, que com a casa compunha um só organismo, permaneci oscilante no centro de quatro palitos de madeira mal fincados no chão.

Eu imaginava quais perguntas seriam feitas a ela, se estacas e correntes haviam sido colocadas ao redor do seu corpo.

Pela vizinhança, havia o relato de mulheres transformadas em pó pelo "fogo público" num ato de magia perversa praticada por homens que diziam ser religiosos.

Não era possível esperar. O movimento de repressão se propagaria como labareda em mato seco, e eu precisava fazer algo. Tomei a coragem necessária para usar o conhecimento que eu havia acumulado. Talvez não fosse o momento, a vó esperaria mais alguns anos, mas havia chegado a época da necessidade, não da vontade.

Tomei o banho de alecrim com a água que refletia a lua vigente, branca e nova em seus augúrios. Do início da mastigação das castanhas à inalação da fumaça das ervas, demorei o período compreendido entre dez piscadas lentas. Os objetos ao meu redor desapareciam e ressurgiam, ora envolvidos pelo sol, ora encobertos pela treva.

Na casa, eu já havia coberto os espelhos e objetos de prata e latão com saias longas, lençóis, bandeiras e toalhas bordadas com as insígnias da nossa realeza nada reconhecida.

Sentei no trono entalhado, em contato com a história que aquele passo a passo transmitia para o meu corpo.

Peguei uma vela pela metade, que já havia sido usada pela vó. Eu precisava desse conforto simbólico, acreditar que do mesmo composto de cera e parafina brotaria uma chama igualmente dotada de revelações.

Eu seria a orquestradora dos movimentos do fogo e a receptora das mensagens, caso tudo desse certo. Era um papel difícil de ser desempenhado, já que eu agiria por duas pessoas e de modo quase que inteiramente intuitivo.

Eu não fazia ideia do que mais poderia acontecer, além de me perder para sempre no espaço entre o fundo dos olhos e o começo do cérebro. Caso isso acontecesse, eu ficaria cega, sem ter quem cuidasse dos meus passos dali em diante. Mas não há queda alta demais para quem já se encontra no chão.

Respirei fundo e fechei os olhos enquanto segurava a vela acesa à minha frente. Comecei a movimentá-la com a maior fluidez possível. Através das pálpebras, identificava o rubor que significava a luz do portão de entrada para aquela arte visionária.

Meu medo era de que, quando as imagens começassem a surgir, eu entrasse em um transe intenso, a ponto de perder a atenção necessária para continuar a movimentar a chama. Minha mão não poderia parar. As revelações eram constituídas com base na oscilação do fogo e do seu negativo, do fogo e do seu negativo.

Pela minha intenção, fui para o fundo da minha cabeça, visitar aquele mar não explorado e me esconder dos pensamentos frontais, tão rasos e sempre fatalistas. Eu precisava de porções equilibradas de entrega, fé, técnica e ceticismo para não me deixar capturar por ondas de ilusão ou impressões equivocadas, o que colocaria tudo a perder.

Cheguei na zona do oco das memórias futuras: uma área de armazenagem de tudo o que está por acontecer. Um lugar que não obedece à ideia um tanto quanto relativa do tempo linear — recurso útil para a organização do nosso eu na mente cotidiana. Lá havia um círculo recortado nas águas, ele emoldurava um espaço de umidades mínimas e fluorescentes, propícias para a clarividência.

Pensei na vó. No tanto que eu queria respostas sobre o seu paradeiro. Completavam-se cinco dias sem receber as suas bênçãos, cinco dias sem raiz, colo e fertilização. O círculo virou escuridão. Talvez tivesse chegado a noite na zona abissal onde ela se encontrava. Mas se tratava de um ambiente sem janelas, chamas fracas ardiam em pontos isolados do recinto. Ouvi a tosse de um peito cheio de água parada. Esse som me levou à visão da vó.

Em um porão, dentro do que pareceu ser um caixote de madeira, em pé, com a cabeça para fora, a vó abria e fechava os olhos como se em transe, prestes a morrer ou à beira de proclamar a grande revelação do século. No entanto, era só exaustão e desânimo. O inferno na carne é o único castigo para quem não acredita no inferno pós-morte — e seus algozes sabiam bem disso.

Vi sequências de imagens repetidas — cruz, altar, fogueira, pés correndo na mata, meu rosto, cruz, altar, fogueira, pés correndo na mata, meu rosto — que desaguavam no entendimento de que palavras eram repetidas por um único carrasco, a ela eram sempre feitas as mesmas perguntas um sem-fim de vezes.

A vó respondia e respondia até não ter mais língua para pensar, nem pensamento para dizer, naquela situação em que a inteligência do corpo desobedece todos os comandos por não mais reconhecer lógica nas ações que quer provocar.

Eu precisava saber quem era aquele homem. Vasculharia todas as construções da cidade até encontrar o tal porão.

De repente, meu corpo começou a esquentar. Era como se eu estivesse numa camada profunda do oceano, onde o magma aumenta a temperatura das águas. Desconectada da zona do oco das memórias futuras, voltei a me preocupar com a movimentação da vela e abri os olhos. Havia cera derretida sobre o meu colo, além de chamuscados no meu vestido. O dorso da minha mão direita tinha sido tomado por aquele calor líquido, que já havia ressecado.

Nossa casa estava às escuras, demorei para perceber se eu havia alcançado a noite da visão ou se era apenas a noite do mundo. Me locomovi devagar enquanto tateava os móveis. Fui à janela, a lua estava fresca no céu. Puxei a cortina para que sua luz entrasse, oca de contentamento. Algumas revelações haviam chegado a mim, mas não existia motivo para comemoração. Eu perdera a raiz, me tornara um ramo desconectado da minha árvore original, próxima de um fim prematuro pela perda gradual da seiva.

Meu impulso foi me livrar daquelas roupas queimadas. Do baú tirei o único verde que estava disponível. Eu não sabia que iria vesti-lo, mais uma vez, na noite em que completaria dezoito anos.

# NOVEMBRO

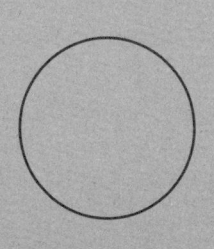

## Ana

Eu arrancava a carne com os dentes. Primeiro, uma camada superficial, insuficiente para satisfazer a minha pressa em relação às urgências que me invadiam; então eu mordia e lascava, puxando, até alcançar a parte mais profunda, num estado que vinha acompanhado pelo limite da dor e pela visão esbranquiçada dos ossos.

Fiz uso dessa ação pontual, mas com alto poder de destruição, trazendo à terra jatos de sangue e ao meu caminho, algum sentido. Eu tentava abater alguém que desde cedo foi meu inimigo.

Rolei com minhas penugens pelo tapete de pelúcia marrom, os fios sintéticos misturados aos meus, como se fosse possível uma união entre elementos de composições tão diferentes. Eu ignorava o significado das palavras gritadas pela televisão, embora as ouvisse claramente. Elas eram parte da desordem na qual eu estava, em carne, osso, genes e espírito. Meu irmão puxava os meus cabelos enquanto tentava morder o meu ombro; sentia ele sobre mim, inteiro em músculos e vontade, mas não havia para ele possibilidade de vitória: o chão era o meu território, de onde eu tirava forças para permanecer em pé nos poucos instantes em que não estava em conflito.

A tevê gritava mais, no interesse de trocar nossos corações por produtos descartáveis. Eu lutava por meus pelos, por minha mata nativa, desrespeitada unicamente por ser mata e nativa: essa é sem dúvida uma das maiores contradições entre os valores estéticos da atualidade.

Oswald tinha poucos fios espalhados pelo corpo e obviamente odiava os meus. Ele queria se tornar respeitável, enquanto eu escancarava aos seus olhos e aos de quem mais estivesse à frente toda a minha selvageria.

Tudo começou com o comercial sobre a espuma de barbear. Os humanos sempre dão um jeito de criar um produto para eliminar aquilo que não desejam. Como nuvens brancas de pureza e higiene, produzidas em larga escala pela indústria cosmética.

*Mulher-macaco, macha, nojenta, escrota, peluda, imunda,* meu irmão gritava, o que me dava maior motivação para tapas e mordidas. Em sua histeria de espectadora dos dramas humanos, a televisão continuava a emitir frases aleatórias que, misturadas aos xingamentos de Oswald, deram origem a um novo idioma, incompreensível.

## Joan

Para uma mosca que olhasse pela minha janela, a linha perpendicular da construção, dividida com o escuro do firmamento, seria a comprovação de que a terra é plana. Explicação que também seria viável para um homem-mosca. Moscas e seus derivados, os homens-mosca, se diferenciam apenas nos quesitos compleição física, compactação da matéria estética e nada mais. Seus olhos e sua mentalidade são extremamente parecidos quanto à visão e ao entendimento das coisas.

Eu estava inteira e esférica, cheia de camadas, raízes, antenas e escamas — da forma que eu via a mim mesma. As luzes mornas que balançavam no interior da casa pareciam me multiplicar. Era como se mil vidas, contidas no corpo de uma mulher prestes a completar dezoito anos, pudessem ser projetadas nas paredes ao meu redor.

Na segunda vez que eu pratiquei o ritual, fiz questão de que a dama da árvore e a deusa não descoberta estivessem comigo. A marca de ambas tinha sido consolidada em períodos muito diferentes do meu, mas nossas vivências possuíam pontos de convergência que eliminavam barreiras, o que tornou mais potentes nossa conexão e nosso fortalecimento conjunto. Dos passos introdutórios ao alcance da condição favorável para o acesso das visões, tive menos preocupações do que da primeira vez. Além de todas as outras etapas cerimoniais, como a mastigação das castanhas, o arranjo dos tecidos no impedimento dos reflexos no metal, a essência aspirada das ervas e o banho na água da lua vigente, ingeri a bebida amarga da terra, o que me levou a um vaivém sequencial até que, em um estado de vertigem consciente, eu estancasse no instante da ida, não no ponto de retorno.

Dali em diante eu não corria mais o risco de sair da zona do oco das memórias futuras de modo indesejado, o que me trouxe maior possibilidade de entrega. Eu queria visões mais claras e sem as típicas interrupções da mente cotidiana.

Dei início à orquestração da chama da vela, confiante de que, desta vez, seriam os movimentos a coordenarem a minha mão, e não o contrário.

Flutuante no escuro do fundo dos meus olhos, nada solitária ou ignorante sobre minhas rotações individuais, senti que o momento havia chegado.

**Dama da árvore**

O meu papagaio é quem costuma trazer as informações necessárias. Ele age como mensageiro, eu preciso dele. Ele traz as asas que o meu corpo não tem. Ele tem as cores que eu sempre busquei. Eu simulo elas com roupas e chapéus, às vezes lenços e até drinques adocicados.

O papagaio é a minha alma tropical. E você, Joan, é um amor. Foi bem treinada pela sua avó. Se continuar nesse caminho, será uma das poucas a perpetuar a prática do recebimento de visões, naquele espaço que ela chama de zona do oco das memórias futuras.

Gostei de ser chamada por você. Eu sou a bebida e o que está além. Moro na árvore, no sumo, à espera das respostas que o papagaio dita. Eu e você temos certo grau de intimidade, o que é algo raríssimo de acontecer. A minha sorte é que não posso ser capturada — pois andam capturando, como fizeram com a sua avó. Homens que batem na porta a fazerem perguntas jamais serão bem-intencionados. Se mexem nas panelas e vasculham os potes e as tradições, pior. Se perguntam se há crucifixo na casa, é recomendável partir antes que voltem. Porque eles voltam. E têm ocupado porões com mulheres idosas, novas e maduras.

Veja que a saída está trancada, mas sempre há saída. Mesmo se o cadeado da caixa de madeira nunca for aberto. Há outras soluções de fuga e de libertação, especialmente para alguém como a sua avó. Ela já começou a praticar algumas técnicas. E, embora não conheça nada sobre prisões de corpos, sabe muito sobre rebeliões.

Acredito que ela resistirá. Que o cadeado será aberto, e o carrasco, aniquilado. Mas ela precisa alcançar o estado mais propício para isso. Saiu da apatia, agora começa a praticar a sua magia. Em doses brandas. Já conseguiu resultados. Fez um prego cair só de olhar e mentalizar. A matéria é a mãe de todas nós. E é profundamente influenciável, de acordo com aquilo que dizemos aos seus ouvidos. Para isso, precisamos agir como suas filhas. Foi o papagaio que me contou.

Tenho muito orgulho de você, Joan. Agora preciso dar lugar para a outra.

**Deusa não descoberta**
As moscas não fazem nada particularmente bom. Tal como os homens, numa semelhança que não se refere à capacidade de voar, mas à de idolatrar dejetos e de tê-los como referencial para a conquista de uma imagem respeitável. Um mesmo homem pode produzir com a língua ruídos semelhantes ao bater das asas das moscas — o que não deve ser motivo de orgulho para ninguém.

Mas eles se orgulham de: (1) propagar seus ruídos de destruição; (2) carregar fragmentos de fezes nas patas e alojá-los pelos quatro cantos do corpo do planeta, como se tesouros fossem.

Eu não comando pessoas, mas tenho o dom de orientar as moscas para que visitem determinados orifícios e neles botem os ovos da desconstrução.

Deles surgem larvas diminutas, capazes de ceifar vidas enormes, de mastigar corpos longos, milímetro a milímetro, na contagem do tempo infinitesimal no qual elas estão imersas. A contagem das horas para larvas e moscas é radicalmente diversa à da espécie humana, o que faz delas gigantes e da humanidade, microscópica.

Um homem quer destruir uma mulher e, por esse motivo, a mantém enclausurada. A vontade de capturá-la faz jus ao seu ímpeto de reprimir os recursos naturais. Ela traz surpresas demais para ser aceita por um sistema exato, contido em um livro que em hipótese alguma passa por reedição.

Já ordenei às moscas para que, do carrasco que está com a avó, visitem todos os orifícios. Em três luas, haverá líquidos e coceira, verrugas de Satã e carne exposta; enquanto a mulher encaixotada, com sua mente maleável, alterará parágrafos inteiros do livro de ideias fixas. Palavras bem ditas podem mudar as realidades, e é com esse propósito que eu trabalho, até o dia que eu for descoberta. Isso acontecerá somente quando a lua ganhar nova cor e estiver bem mais próxima da Terra. Isso é tudo o que eu posso revelar. Agora, cedo o meu lugar para a mais importante.

**Vó**

É difícil articular as palavras quando estas são emitidas pelo pensamento, pois outra mecânica rege essa condição particular da mente. Chegou o momento de aplicar tudo o que aprendi, senão não faria sentido eu ter me dedicado, e por tantos anos.

Joan, o que me diz de fazer o ritual de luzes e sombras sozinha, quando não há mais diversão, apenas imersão, em relativa vigília? Entendo o seu medo, mas nós nunca nos consideramos prontas até o momento em que a única opção é estarmos prontas.

Eu e você estamos em uma circunstância muito parecida. Eu tenho me dedicado, você também. Eu ando semiacordada; você, imersa no dentro de dentro. As alucinações vinculadas às visões são mergulhos demorados nas nossas zonas proibidas. Entre outras vantagens, elas nos ajudam a driblar o medo; por isso, deixe que aconteçam. Elas são vias tortas que nos trazem revelações precisas.

Estar alucinada é poder ser patológica com uma justificativa fantasiosa. Ou é poder ser fantasiosa com uma justificativa patológica. É estar esfarrapada, com a alma inteira e alerta. A dama da árvore e a deusa não descoberta acessam a sua consciência por esses caminhos, como neste instante eu faço.

Não se aflija com o caixote e a minha clausura. Não há o que prender aqui, além de um corpo velho. Todo o resto pode escapar — até mesmo um corpo velho, dependendo da técnica e do controle de quem opera certas magias. E saiba que na mente desse que me aprisiona já entramos, há dias. Porque, você sabe, eu não ando só. Eu, a dama da árvore e a deusa não descoberta implantamos dois, três, vários intrusos no campo mental do carrasco. Eles são de diversos tamanhos. Comandantes, todos. Ele, o único dominado.

Os intrusos aparecem como companheiros, mas exigem dele atenção constante, o ameaçam e o acariciam, o que sempre envolve algum conflito. O algoz, feito fumaça que responde aos comandos do ar, nunca está de corpo e mente nas realidades que agora o acompanham. Esse é um cenário mental no qual é muito difícil resistir. A diluição de sua alma é certa. Não haverá mais um único sujeito a representar a sua existência, mas entes em sucessão; eles vão e vêm em suas necessidades múltiplas e incoerentes.

Enquanto ele se divide entre ordens e desejos, moscas disparam dos seus olhos e boca, pois sua carne começou a apodrecer. Pode ser que, com tamanha instabilidade, eu consiga comandá-lo a se aproximar da caixa e a virar a chave da minha liberdade. Enquanto isso, faço planos, vislumbro futuros.

Celebre a chegada dos seus dezoito círculos e não fique só. De um modo ou de outro, eu estarei presente. Se não em corpo, estarei em sopro.

E ela, aquela a qual deve encontrar, poderá trocar de caminho se você não for atenta o suficiente. Não a perca de vista.

Na noite dos dezoito círculos em conjunção, reproduza com o corpo e a respiração as sombras que bailam nas paredes. Há uma dança que só você e ela saberão desempenhar nos trinta e seis círculos que somarão juntas. Não seja uma mulher de passos mudos. Se os pés a instigam a acompanhar a melodia, não se anule, não a anule.

Você a reconhecerá, não importa quem ou o que estiver ao redor: de cabelos de córrego e olhos de amêndoa, braços de asa e pernas de espada, ela é resistente, com a inteireza dos troncos da aveleira. As marcas milenares da sua pele trazem repertório para os seus atos e ela sobrevive, rústica, em meio aos estímulos criados pelos interesses da sociedade.

Estejam atentas ao senso de perigo que duas mulheres unidas despertam nos homens. É quase um acinte, uma perda de chão, saberem-se nada fundamentais, de mastros substituíveis. Persistam e não caiam em ciladas, como eu caí. Não se deixem impressionar por expressões faciais, palavras e trajes dos homens do poder, por mais duros, secos e bem cortados que sejam.

Em seus momentos de convivência, não habitem caixotes, sejam eles feitos de hábitos, crenças, sentimentos ou madeira. As ameaças não necessariamente vêm do externo, de um inimigo aparente. Nos anos seguintes, aconteça o que acontecer, permaneçam duas. Cuidado com a perda de contornos e a fusão, de apelo quase irresistível, que pode vir com a passagem do tempo e a intimidade crescente.

Para encontrá-la, emita a frequência da cor de jade.

**O carrasco**
Eu nunca estou sozinho, há outros, nebulosos, embora presentes.
   Há na subterra: a mosca, o palhaço, Verigna, o cachorro e o rato.
   Quando a mosca voa, escuto as risadas de mil crianças de fralda. Ela se aproxima e se afasta de mim em movimentos rápidos, alcança o tamanho de uma montanha, depois chega à proporção de um grão de café.
   O palhaço é vermelho e negro, gira sobre os calcanhares, nunca sai do lugar. Dita frases em um idioma que eu pouco entendo, emite sugestões lascivas, rosna, relincha a ponto de escancarar os seus lábios inflados. De sua cabeça saem chamas altas.

Verigna é a moça vinda do poço de pedras e carvão. Ela risca a faca em busca de um líquido qualquer, sêmen, pus, unguento, saliva, salmoura, suor. Verigna ameaça cortar a minha cara, jura me amar, mas diz que preciso de comando e de cicatrizes. Há um cachorro que parece um urso. É o único deles que considero amigo. Ele tem a inocência de uma criança que nunca cresceu, é do tamanho de um homem alto, come algodão-doce colorido e arrota. Sempre me chama para ir ao parque. Toda vez que aceito o convite, surge à minha frente um redemoinho no centro de um pântano malcheiroso, então recuo.

Vinte e quatro é um rato, mas também é um número. Ele passa e fala para eu bater — com martelo, mão, tesoura, o que eu tiver à frente. Em criança, mãe, médico, velha, cachorro, em quem estiver à frente. Não tenho tesoura nem martelo, só mãos e chaves. Ele diz para eu me virar com isso, eu tenho mesmo é que bater.

# DEZEMBRO

Cubatão, 23 de dezembro

Vai com cuidado que já me machucaram pra caralho. É pau, é pedra, é o fim do caminho. Não existe frase mais perfeita pra definir tudo o que vivi. Esquece a canção do Jobim. Foi pau e pedra, de maneira literal. Pelos meus becos, entradas e saídas. Aos berros. Os meus e os deles. Naquele porão, não havia espaço pro tédio. O playground tardio dos caras estava mais do que garantido. Lagartixas que se parecem com dragões? É o que vejo até hoje. Aí querem que eu esqueça de tudo e me integre à normalidade.

Como se o fato de ter lagartixas vivas inseridas nos buracos do corpo, repetidas vezes, fosse algo possível de apagar da memória ou de ignorar durante uma entrevista de emprego capaz de me garantir, em caso positivo, a completa inserção social. A moça da seleção queria saber qual é o meu maior mérito e qual é o meu maior defeito.

Maior mérito: gritar, cada vez menos, sempre que enfiavam uma lagartixa viva em mim. Maior defeito: gritar, cada vez menos, sempre que enfiavam uma lagartixa viva em mim.

Por gritar menos, eu recebia algo como a aprovação dos digníssimos senhores que me submetiam àquela situação. Uma postura mais comportada significava que suas estratégias eram bem-sucedidas. Por gritar menos, eu recebia algo como a desaprovação, pois, se minha reação estava mais amena, eu já tinha me acostumado à tortura, que então deveria ser intensificada.

Estamos no verão, que começa em dezembro. Isso significa calor, o que significa mais bichos e insetos à solta, o que significa mais lagartixas circulando por aí, o que em resumo significa o seguinte: minhas chances de conseguir um emprego são praticamente nulas. Esse é o fim do caminho.

Sem mais,

*Wanda de Souza*

### Noite de aniversário de dezoito anos de Ana e Joan

### Joan

Saí de casa com um cérebro de matriarca, um corpo de medusa. Minha língua, ardida, pronta para proferir palavras quentes. Cabelos antenados com a galáxia, órgãos conectados a idiomas em ebulição. Eu possuía um gênero e um céu. Um véu e uma mulher ainda desconhecida, de olhar urgente, mas de mim íntima. Bastava um ajustar de realidades mistas para que eu pudesse tocá-la com meus passos bem direcionados. A estrada havia sido florida em tempos idos e estava ótima para pisar.

### Ana

Aquele foi um dia de muitos sons e de pouca fala: tocou o celular, a campainha de casa, a buzina do lado de fora da janela. O choro de pesar do mundo atingiu a minha percepção e o modo como eu me via, vestida com uma saia de tantas voltas que eu jamais conseguiria levantar todas elas para tentar descobrir o que restava no meu final: carne crua que não se alcança, pétalas de cor púrpura que escondem labaredas. Eu estava toda ígnea e petrificada, com cabelos em cachos feitos a ferro torcido em brasa: a cabeleireira das tardes de sexta se tornou minha fada transformadora, o modelador de mechas era a sua varinha de condão.

**Joan**
Dezoito anos completos. Na forma de saias sobrepostas e passíveis de serem levantadas uma por vez, caso fosse essa a intenção. O traje que eu vestia era composto por folhas compridas, acomodadas em camadas, que envolviam a minha translucidez. Eu estava em movimento ascendente, o que resultou na desobstrução de todas as vias que me atravessam, a começar pela garganta. Meu vulcão abrigava o fogo de um século. Tamanho calor se fazia intuir nas imediações, influenciou os sonhos de aldeias inteiras, arrepiou a pele das feiticeiras, me impeliu de encontro a ela.

**Ana**
Naquele dia, o beijo na testa que ganhei do meu pai representava a bênção para uma vida inteira. Nesse jogo de loteria que é o abrir e fechar das comportas do corpo de uma mulher, todos fazem suas apostas. Alguns são otimistas, outros, pesarosos sobre as des-

graças que não podem ser evitadas, cabendo à portadora de tais comportas pouco ou quase nada a decidir a respeito. Homens administram propriedades, a moeda vigente, recursos naturais em geral. Creem que sejam igualmente capacitados para administrar nossas territorialidades.

**Joan**

Como se fosse possível nomear a Terra e as suas camadas internas, assim eu me sentia naquele dia: um planeta com dezoito nomes, dezoito etapas, dezoito formas de expressão. Eu estava pronta para assumir quantas faces fossem necessárias para me tornar uma mulher. Sobre a vó, não sei quantas camadas a compunham, mas desconfio que havia infinitas. E eram tantos os seus nomes que eu não conhecia nenhum deles. Não havia razão para limitar aquela força monumental. Naquela noite de encontro, eu seria a representação dos períodos de maturação da Terra, condensada em um corpo jovem. Sobre a vó, nunca mais a vi, embora eu a sentisse acumulada em mim, sua trajetória em rotação estava acomodada nos meus átomos.

**Ana**

A canção *Amigos para siempre* fez vibrar o salão de festas, era o momento de chorar e de cantar de mãos dadas e em círculo, mas me contive numa roda muda; naquela circunstância, a minha voz era feita de rugidos. A sonoridade secular que eu trazia no umbigo, nas vísceras, no muito de mim que era ser alguém de dezoito anos. À beira do abismo que é se tornar uma mulher. Se eu abrisse a boca, talvez esvaziasse o salão, tamanho o estrondo causado, talvez todos os convidados e a banda desabassem rumo ao fundo do poço da morte e eu restaria sozinha, de vestido armado, cachos e pernas aptas a serem portas sem chave.

Dona de uma plateia inconsciente de sua promissora mulher-espetáculo, me limitei a caminhar entre as bandejas de salgados e doces à procura de alguma vida que me servisse.

Uma moça de vestido verde veio até mim. Ela parou à minha frente e fez menção de querer dançar comigo.

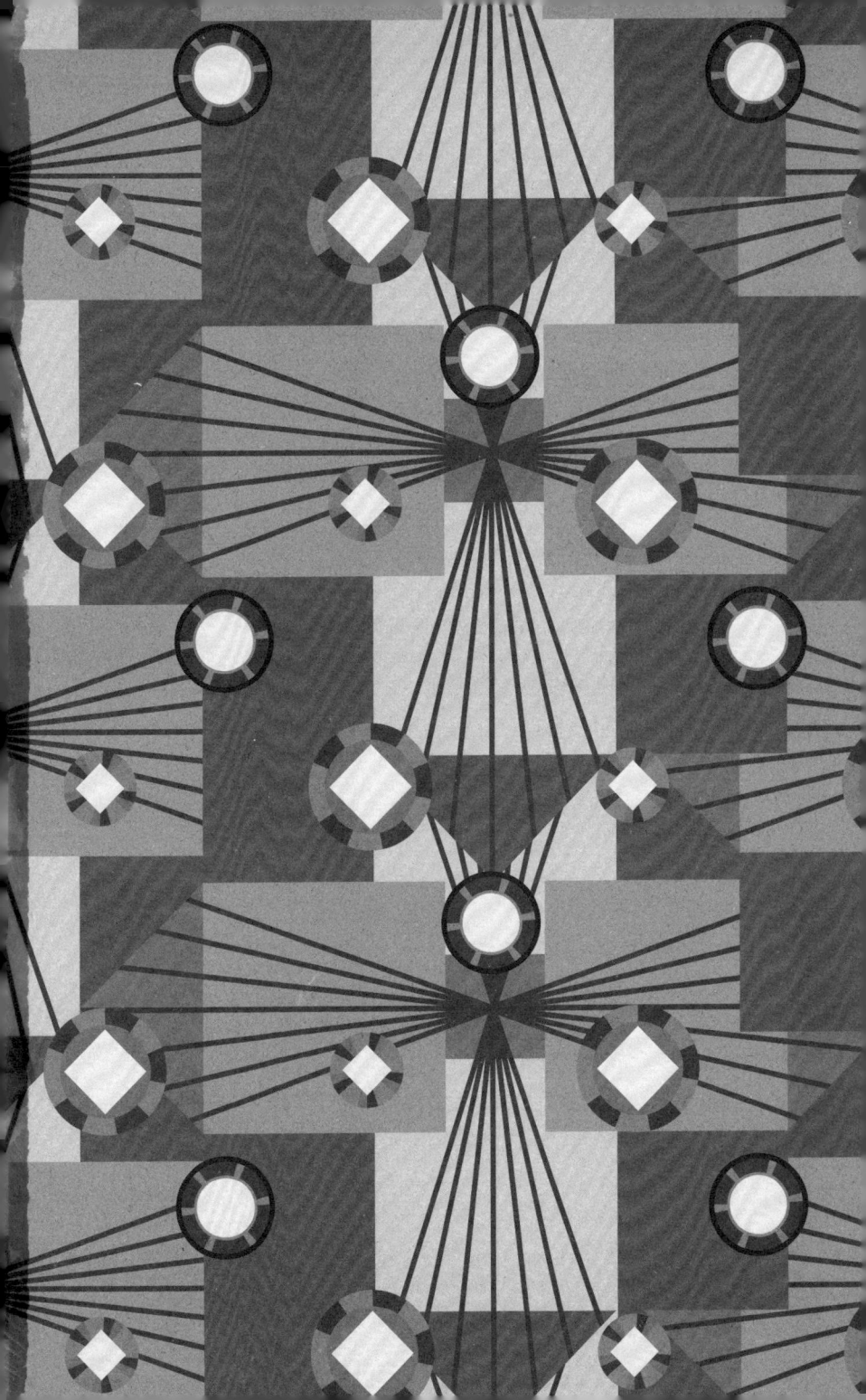

Descubra a sua próxima
leitura em nossa loja online

**dublinense**.COM.BR

Composto em TIEMPOS e impresso
na BMF GRÁFICA, em PÓLEN BOLD
90g/m², em ABRIL de 2021.